JEAN-PAUL GAULTIER,
PUNK SENTIMENTAL

ELIZABETH GOUSLAN

JEAN-PAUL GAULTIER, PUNK SENTIMENTAL

BERNARD GRASSET
PARIS

ISBN 978-2-246-74091-9

A Frédéric, David et Swann…

Mon news magazine agitait fréquemment le shaker. La une que nous préparions, rue Christine, s'intitulait pompeusement « La mort des avant-gardes ». Un auteur venait de publier un essai très polémique. Il y annonçait « la défaite de la pensée ». Les années quatre-vingt, suggérait-il, mélangeaient les torchons et les serviettes, mettaient sur le même plan Bach et Madonna, *Indiana Jones* et *M le maudit*, une Algérienne de Delacroix et une saharienne d'Yves Saint Laurent. Cette absence de hiérarchie entre haute et basse culture, entre art et divertissement, allait nous conduire à la barbarie. La mode et le rap, surtout, indisposaient le penseur. Il fallait enquêter.

La vie est étrange. Sans Alain Finkielkraut, je n'aurais sans doute jamais rencontré Jean-Paul Gaultier. Le journalisme, discipline baroque, peut être défini comme une série d'intrusions désordonnées chez ceux qui font l'actualité. Ma semaine avait été rustique et chargée : lundi, je confessais monseigneur Gaillot, évêque d'Evreux, mercredi, Jeannie Longo, la Christine Angot du vélo, passait aux aveux, et vendredi, avait exigé Jean-François Kahn : « Vous irez voir ce fou aux cheveux jaunes qui fait des jupes pour les hommes, comment s'appelle-t-il déjà ? »

Je savais comment il s'appelait. Toutes les filles de la rédaction aussi. Une ou deux, vraiment pimbêches, se vantaient d'avoir assisté en 1976 au premier défilé au planétarium du Palais de la découverte. Elles expliquaient, extatiques, que Gaultier faisait des miracles avec des chutes de tissu bon marché et des sets de table en rafia. Les autres, des fashion victimes pointues, possédaient déjà l'emblématique tee-shirt rayé marine et blanc et le pantalon en skaï moulant. La dernière catégorie était celle des fauchées inventives. J'en faisais partie. On ne pouvait rien s'offrir dans sa boutique, mais une bonne observation des collections doublée d'un sens de la débrouille suffisait à fabriquer un ersatz de look plus ou moins bien fagoté. Les Puces de Clignancourt menaient à Gaultier sans se ruiner. J'y avais déniché un tutu de petit rat en tarlatane usée et un authentique Perfecto de membre des Hells Angels, taille 52. Une association scandaleuse et grandiose, plagiée JPG. La plus belle pour aller danser.

En 1987, on n'était plus punk, mouvement tassé, on devenait subrepticement gothique ou androgyne. Le Palace perdait de son faste. Les Bains étaient prisés. Avant de s'y montrer, à la nuit tombée, il fallait avoir sérieusement travaillé son vestiaire. Alaïa, Dorothée Bis, Agnès B étaient tolérés. Mais le *nec plus ultra*, c'était de se gaultieriser. Du jupon avec des bottes de moto, de la marinière, du bracelet-boîte de conserve, de l'accessoire, surtout. En cas de panne d'inspiration : un jean et un chapeau chinois, un jean et un bonnet à effet perruque, un jean et un carré Hermès détourné, porté en chèche, en tablier, en bavoir, n'importe comment, pourvu qu'il ne soit pas noué autour du cou, façon thé à Saint-Cloud. Soyons honnêtes. On arrivait rarement à atteindre l'éblouissement ressenti lors des défilés, mais on avait le mérite de tenter, d'oser, de jouer le clin d'œil. Les mauvaises langues assimilaient ces tenues ludiques à un déguisement. Les franchement sexy les désapprouvaient, les rebelles nées adoraient. On était pour ou contre, mais jamais indifférentes à Jean-Paul.

Ce jour-là, j'étais contre, tout contre. Au 6, rue Vivienne, dans un immeuble gigantesque et désordre, l'enfant terrible de la mode, étiquette qui allait lui coller à la peau, était venu chercher en personne la journaliste non spécialisée souhaitant l'interviewer. Ce qui sautait aux yeux : sa simplicité spontanée, sa modestie, son pas rapide, sa démarche chorégraphique, son sens de l'autodérision, sa gentillesse de Bisounours peroxydé hissé malgré lui à l'Olympe des stars. Que son ascension coïncide avec celle des créateurs, trois syllabes désormais articulées comme le mot de passe d'un club très sélect, semblait l'indifférer. Assis à une table de bois couleur tek où s'entrechoquaient bobines de fil, ciseaux géants, bouts de tissu et gadgets japonais, il griffonnait des silhouettes tout en parlant, se levait, ajustait un châle sur un buste de mannequin, répondait à des assistantes en baskets qui l'interrompaient, se rasseyait, le tout dans une ambiance de patronage assez peu pro. Il fut rapidement établi que l'homme ne tenait pas en place. Qu'il avait, à la trentaine, une idée très sûre de ce qu'était la mode et de ce qu'elle n'était pas. Que son sourire, fondant, se plaçait sur l'échelle de Richter du côté des tropiques.

Il était atrocement sympathique. Sur les écrans, sur les ondes, les Rita Mitsouko hurlaient « Marcia Baila ». Dans les boîtes, la jeunesse dorée se déhanchait sur Daho et une Sud-Américaine qui avait quelque chose de Lauren Bacall martelait une rumba monosyllabique entêtante : « Toi, toi, mon toi ». Les chanteurs pratiquaient l'humour hot, androgyne et kitsch. Quand Lio menaçait en guêpière rouge magenta : « Attention aux brunes », les blondes prenaient la mouche. Caroline Loeb faisait claquer sa « ouate » de paresseuse jusqu'aux confins du périphérique. On avait la « culture clip », les radios libres et un côté *Pulp Fiction* avant la lettre. Gaultier, bien sûr, anticipait tout cela.

On ne disait pas encore « tendance » ni « hype », mais on abusait de l'épithète « branché ». Des temps préhistoriques ! Le sida, peste encore floue, rôdait déjà et la mitterrandie inscrivait son champ d'action dans toutes les cursives de la nation. Son plus fidèle ambassadeur portait col Mao et costume Mugler. Jack Lang plaçait la mode très haut. Assez vite, il s'avéra que le Mitterrand's band était dans le coup. Pour le railler, il n'y avait plus que les mauvais coucheurs et les « ringards », c'est-à-dire les anciens ou néo-réacs, secte désuète espérant secrètement un come-back de Giscard.

Avec sa marinière, sa coupe en brosse, son éloquence gouailleuse, son enthousiasme enfantin, Gaultier, dans son atelier foutraque, évoquait irrésistiblement un personnage de cartoon, un Tintin aux pays des froufrous. Dix ans qu'il traînait ses guêtres dans les faubourgs, éponge ultra-absorbante, retenant dans ses fibres le théâtre de la rue, essorant ensuite ses trouvailles visuelles sur des carnets à dessin. La grattounette Gaultier se faufilait partout : embusquée dans le 93, à l'affût de décalages vestimentaires, de génies méconnus de la frusque, guettant de Londres à New York l'émergence de folies urbaines. Ces nouvelles façons de marcher, de danser, de parader, il les graffitait ensuite sur papier Canson, en petit entomologiste explosif, en chroniqueur délirant de cette décennie de vinyle. Au fur et à mesure de la conversation, il déboulonna mon plan. Mes questions ne tenaient plus debout. La mode, pensait-il, n'était pas un art, mais une discipline frivole qu'on ne devait pas prendre exagérément au sérieux. Avant-garde, quelle avant-garde ? Les créateurs humaient l'air du temps et le retranscrivaient comme ils le pouvaient, avec talent si possible, c'est tout. Artistes ? Non, évidemment non, en tout cas pas à la manière des romanciers ou des peintres. A l'antique hiérarchie des arts, il faisait allégeance, ne confondant pas haute et basse culture. Il n'était pas provocant, mais pétri de bon sens et de bienveillance. De *niet* en *niet*, il déconstruisait le programme, niait la sacralisation de la couture. On ne pouvait en aucun cas le tenir responsable de la défaite de la pensée. Je ramenai au journal une interview rafraîchissante, vide de scandale potentiel. L'homme qui ornait les filles de balconnets coniques de déesses africaines, qui emplissait les lieux publics de walkyries punk portant tutu, blouson de cuir et Converse délacées, arbitrait l'époque sans le savoir. Il possédait l'humilité des débutants, l'ambition des sages et une absence de prétention qui détonnait dans le sérail. A la sophistication, au snobisme de la mode, il substituait un état d'esprit scout et rock.

Patiemment, il inventait un genre encore inédit, le *story-telling*, appliqué aux défilés. J'étais emballée par Gaultier, dopée par son sourire, euphorisée par sa légèreté. Je n'étais pas la seule…

Le sourire des anges

> « Une robe n'est ni une tragédie, ni un tableau. »
>
> Coco CHANEL

Septembre 1992, au Shrine Auditorium, à Los Angeles, cité des anges. Un service d'ordre digne du G8 est mobilisé. Le Shrine, temple du rêve hollywoodien, décerne chaque année ses amulettes aux divinités de l'Olympe. C'est ici que la remise des Oscars a lieu. Six mille élus se pressent vers 19 heures aux portes du théâtre : Bruce Willis, Demi Moore, Jack Nicholson, Warren Beatty, Dustin Hoffman, Janet Jackson, Bette Midler, Blake Edwards, la crème des sunlights. Ce soir, le Monsieur Loyal de cette cérémonie très spéciale n'est ni comédien ni crooner. Il a quarante ans, des cheveux couleur jaune poussin, une coupe en brosse et débute dans l'*entertainment*. Des clichés de lui circulant dans le monde entier ont affranchi les Américains sur son look. Ils savent que ce couturier frenchy excentrique, proche de Madonna, porte le kilt et la marinière avec désinvolture. Jean-Paul Gaultier n'en mène pourtant pas large dans les coulisses du Shrine. Une semaine qu'il a débarqué côte Ouest, avec son accent approximatif et sa garde rapprochée. Tanel, Aïtize, Lionel, Claudia, ses copains de toujours : tout le monde loge au Nikko. La mission qu'on lui a confiée est d'un prestige inouï. Il va présenter son défilé, sur le *red carpet* le plus strassé, le plus convoité et le plus escarpé d'Amérique. Enorme challenge, pression phénoménale. Si ce show caritatif impulsé par l'AmfAR [1] fait venir du beau monde, des milliers de dollars rentreront dans les caisses de l'association Aids pour financer la recherche contre le sida. Même à Los Angeles, Jean-Paul, incorrigible, applique sa méthode de casting sauvage, squeezant les *beautiful people* et autres *cover-girls* dorées sur tranche qui accepteraient bénévolement de défiler en majesté. Il fait passer une annonce dans le *Los Angeles Times* et accueille des centaines de postulants tous plus freaks, déjantés, tatoués et bohèmes les uns que les autres. La scène se passe au Grauman's Chinese Theatre. Il retient quelques spécimens after-punks, les looke Gaultier et les convoque le jour J au Shrine. Ces no-life croisent dans des coulisses improvisées les stars les plus en vue. Elles sont venues, elles sont toutes là. Raquel Welch, crinière de lionne et gestuelle de diva, parade en robe moulante. Il va décupler son sex-appeal légendaire en la sanglant dans une guêpière et un filet noir de déesse SM. Sa fille, Tahnee, clone prometteur de la bombe atomique maternelle, prend des leçons. Arrive Faye Dunaway, chaussée de bottes frangées de plumes de coq jaune

1. American foundation for Aids Research.

canari. *L'Arrangement* d'Elia Kazan, *L'Affaire Thomas Crown* de Norman Jewison : c'est elle, longiligne apparition, quintessence du mystère qui tue, de la sophistication platine, racée, féline. Elle va ouvrir le show coiffée du béret fatal qu'elle a immortalisé dans *Bonnie and Clyde*, fumant langoureusement une cigarette, adossée à un réverbère parisien planté sur le podium. Hollywood célèbre le Paris de Gaultier. Le rocker Billy Idol fait un passage, fessiers musclés, hâlés et dénudés dans un pantalon de cuir ajouré. Le groupe Red Hot Chili Peppers enchaîne. Mais, derrière le rideau, alors que tout se passe comme dans un rêve, la Madonne fait des siennes. Madonna herself, icône planétaire, scud sulfureux, accumulant triomphes, idylles et provocations, a élu le petit créateur français comme Pygmalion officiel. C'est elle qui l'a contacté, sacralisé, vampirisé avant de porter en toute occasion ses bustiers coniques, ses cuissardes et ses Perfecto. Madonna galvanise « *Goltière* » : c'est ainsi qu'elle l'appelle. Lui, depuis l'intronisation madonnesque, est en lévitation. Cette blonde tornade représente son idéal féminin. Mais, aujourd'hui, la muse refuse de se conformer aux derniers essayages, revus et ajustés depuis huit jours avec Jean-Paul. Vient son tour d'arpenter le catwalk. D'un geste autoritaire, elle envoie valser son tee-shirt marin, celui qui devait mouler le buste sous la salopette. Qui peut la retenir ? Sous l'œil ahuri de son staff, Madonna défile seins nus, deux minces bretelles soulignant sa plastique parfaite. C'est un tonnerre d'applaudissements, une transe du gotha ! Gaultier, sautillant, euphorique, rejoint sa Galatée, lui prend la main et vient saluer pour le final le Tout-Hollywood qu'il vient de conquérir. Il a contribué à récolter 750 000 dollars ce soir-là pour Aids ! Quelques heures plus tard, à la discothèque du Shrine, au corps à corps avec quelques Jackson, fêté, célébré, adulé, Madonna ondulant à ses côtés, la tête lui tourne un peu. Il débute dans les starting-blocks de la mode française et l'Amérique lui tend déjà les bras. Sur le dance-floor, Jean-Paul, rêveur, dans une étrange attention flottante, se remémore ses années d'écolier, à Arcueil. Arcueil si loin, si proche, où, en contemplant l'aqueduc, il formulait en silence, marchant vite, les mains dans les poches, ses chimères de gosse. Images incantatoires, pensées magiques qui projetaient des sirènes en fourreau, des vamps dietrichiennes en smoking de dandy. Son roman de la mode, onirique, glamour s'est mué en réalité. Los Angeles, sourire des anges…

Arcueil, banlieue rouge

« La vie n'est faite que de commencements. »

Madame DE STAËL

Arcueil, pimpante municipalité communiste du 9-4, offre, en guise de dépliant touristique, son HLM de la Vache noire, son institut du radium où Marie Curie s'installa dans les années vingt, sa distillerie Anis Gras qui deviendra la fameuse anisette – le vert anis est l'une des couleurs maîtresses de la palette Gaultier – et surtout, fierté locale, son aqueduc géant, un kilomètre de long, quarante et un mètres de haut, splendide et phallique monument gallo-romain, édifié au IIIe siècle. C'est ici que Marie Garrabé travaille comme infirmière dans une usine depuis la faillite de Raoul, son époux, un bel indifférent anglophile, rasé de pré, fleurant bon la lavande. Les Garrabé ont perdu leur première fille en 1914. Solange, la seconde, est charmante et mélancolique. Marie est une sorte de mère courage brechtienne mâtinée de matrone fellinienne. En bonne marieuse, elle croise un jour le sémillant Paul Gaultier, comptable de son état, et lui vante si bien les charmes de la douce Solange que les noces sont vite célébrées. Jean-Paul va naître le 24 avril 1952 de cette affaire rondement menée par la fée Garrabé.

Jean-Paul, garçonnet rêveur mais sans histoires, déteste le petit appartement du HLM Raspail, long bloc de pierre couleur brique menant par la cour à l'école de garçons Jules-Ferry. A sa chambre minuscule, au salon meublé pseudo-Régence avec son buffet d'acajou vernis, il préfère l'antre de sa grand-mère, théâtrale loge rococo toute en velours grenat. Il court à tout bout de champ rue Pasteur, se fait dispenser de gym et de piscine, y passe des jeudis entiers. Ces deux-là forment un couple pittoresque. Elle reçoit ses clientes et Jean-Paul observe en silence le monde des femmes, ce harem fait de piapias fébriles, de fragrances de violette, de rires de gorge et de jeux de miroir. Mémé Garrabé, haut personnage de la vie d'Arcueil, pique, masse, maquille, coiffe à l'occasion, pratique la méthode Dolto Assimil, s'improvise conseillère conjugale, oriente, tranche, impose les mains en apprentie médium. Comme le dit Jean-Paul : « Elle magnétisait tout, même les steaks. »

En comparaison, son quotidien d'écolier est bien fade. Dès la maternelle, il se lie d'amitié avec deux condisciples. Le premier, long, rouquin, passe son temps à dessiner un bestiaire extraordinaire composé de chats, de chiens, de chevaux au tracé précis. Il s'appelle Jean Teulé, on le croit fils de duc ou de prince puisqu'il vit dans un château, sis non loin de l'école : « Le problème, raconte le romancier, c'est que j'y ai longtemps cru également, jusqu'à ce que mes parents m'expliquent qu'ils étaient les gardiens de la mairie. Je n'étais pas un vrai seigneur, ce fut une immense déception ! » L'autre complice se nomme aussi Jean-Paul. Nom de famille : Potard. Blondinet aux yeux clairs, il partage avec son homonyme une forte propension à la rêverie et le même dégoût pour la brutalité des jeux de préau. Ils développent une « sensibilité commune » fondée sur des rejets – le foot, la castagne – et des engouements – l'évasion dans les hautes sphères de l'imaginaire, les petites fictions qu'on met en scène en deux minutes de répétition dans la cour de récréation. Ce qu'ils ignorent, c'est qu'ils sont en train de sceller leur destin. Assez vite, par commodité, le second Jean-Paul est rebaptisé Donald, en raison d'une voix de canard très Disney.

Lorsque Donald insiste pour interpréter Louis XIII dans une de leurs saynètes historiques, Gaultier, rusé, accepte le prétendu second rôle de Richelieu : « Je savais déjà, commente-t-il avec malice, que c'était le Cardinal qui avait le pouvoir à la Cour. » De fait, vingt ans plus tard, Richelieu offrira à Louis XIII un poste de direction dans sa société. Jean Teulé se souvient aussi du caban marine du futur styliste : « Pour incarner un chevalier, il le retournait et exhibait sa doublure brillante, assez fier de l'effet produit. » A tour de rôle, l'un des trois garçons personnifie Ben Hur, les deux autres attelant son char : « Le plus incroyable, poursuit Jean, c'est que Gaultier avait la certitude de sa vocation dès l'âge de huit ans. Il ignorait tout de la mode et pourtant, avec ses mots à lui, il expliquait déjà qu'il y ferait une carrière éclatante. »

Jean-Paul, enfant unique, apprend donc à maîtriser la solitude ; il en fait une amie de cœur, se raconte des histoires extraordinaires, rêve les yeux ouverts quand il marche une demi-heure durant jusqu'au Kremlin-Bicêtre pour rendre visite à sa grand-mère paternelle, Valentine. Quand Paul punit son fils et qu'il est de corvée de charbon, il descend à la cave, remonte vite le gros sac et file rue Pasteur, chez Mémé Garrabé qui lui ouvre son armoire de coquette débordant de corsets, de soies, de voilettes, d'aigrettes, de galures Belle Epoque. Son avenir sera scintillant. Deux options : habiller les dames ou les coiffer. Passent sous son casque autoritaire Valentine, Marie, dociles cobayes hérissés de bigoudis, et sa cousine Evelyne sur laquelle il teste chignons et queues-de-cheval. Pour les teintures, il plante des bouts de ficelle imprégnés de Régécolor sur la tête de son Teddy Bear, baptisé Nana, non pas en hommage à Zola, mais parce qu'à ses yeux, cet ours est une femelle. Nana, premier top-modèle en peluche de l'histoire des fittings, est offert par la tante Louison, le jour de ses huit ans. Les séances d'essayage varient au gré de l'actualité : un jour parée d'une robe plissée à la Monroe, un autre vêtue en reine Fabiola, opérée à cœur ouvert pour imiter la grande première mondiale du professeur Barnard, dotée d'un soutien-gorge conique fait de papier journal mâché, Nana est à Jean-Paul ce que Barbie est à sa cousine Evelyne.

Ce bipède travesti sera shooté et vedettisé vingt ans plus tard dans les plus grands magazines de mode. Usé, râpé, raidi, jamais *cover-girl* sur la touche n'obtiendra autant de parutions que ce doudou défraîchi ! L'original profite de ses excursions chez Mémé pour parfaire son instruction. Il se gave de clichés télévisés en noir et blanc estampillés années soixante : « La caméra explore le temps», «Dim Dam Dom», Jacqueline Maillan et les fabuleuses femmes-jambes des Folies-Bergère, façonnent son imaginaire. Un mélo signé Jacques Becker, cuvée 1944, le fascine. Micheline Presle, ange volubile, y sublime les toilettes d'un couturier tyrannique interprété par l'âpre Raymond Rouleau. L'ambiance des ateliers, le ballet des petites mains, les déluges de taffetas: *Falbalas* devient son «Rosebud», un aphrodisiaque puissant. Un soir, souffrant le martyre à cause d'une carie, il découvre Barbara, inquiétant aigle noir, chantant «Nantes», pathétique complainte du désespoir. L'enfant passe alors, inexplicablement, des larmes au fou rire : « Cette petite tête d'oiseau, commente-t-il, m'a fait soudain l'effet d'un gentil clown. Je riais tellement que ma rage de dents a cessé sur-le-champ. » Entre deux gâteaux de riz concoctés par Mémé, la chasse aux trésors dans ses frusques, les séances ORTF et les jeux avec Donald, la vie coule, paisible. Pâques arrive, il n'est pas question de colo, ce repère de barbares. Alors, avec sa cousine Evelyne, qui n'a que six mois de moins que lui, qui a tout partagé depuis le berceau – baptêmes et communions compris –, ils sont envoyés au vert, dans l'Yonne, à Ermans, chez une sœur de Valentine. La sévère tante Louise qui fait les meilleures tartes aux pommes du monde possède une maison flanquée d'une courette. L'escalier y mène à un balcon interdit d'accès aux deux terribles petits Gaultier. Ils y grimpent en cachette et répètent inlassablement la scène shakespearienne du baiser. Evelyne est une Juliette crédible, Jean-Paul, un Roméo directif.

Lorsque, bien plus tard, Franco Zeffirelli en offrira sa flamboyante version sur grand écran, le styliste retournera en salle… vingt-sept fois, toujours en larmes, cherchant à savoir ce qui, dans cette tragédie élisabéthaine, l'émeut le plus : « Un jour, je m'identifiais à Roméo, le lendemain à Juliette, j'étais indécis mais bouleversé ! » Louise ne badine pas avec l'éducation des enfants. Effrayée par leur sidérante complicité et ces heures passées enfermés à répéter des pas de danse et des spectacles en un acte, elle décide, très Madame Fichini, de séparer les remuants cousins. Seraient-ils amoureux, comme dans les récits de la comtesse de Ségur ? Fini, les *Cendrillon*, les *Belle au bois dormant*, les *Peau d'Ane*, où décors et costumes sont signés Jean-Paul, Evelyne décrochant toujours et sans peine le premier rôle, celui de la princesse en diadème. Ils sont éplorés, les apprentis comédiens. Mais quand vient le mois d'août, ils font bande à part. Paul et Solange enfournent leur fils dans la deux-chevaux beige. Direction : la Costa Brava, ses touristes en short, ses plages blondes, ses paysans buñueliens édentés et ses roboratives paellas.

En septembre, Evelyne découvre, éblouie, les nouveaux croquis de son metteur en scène préféré. A l'école, cette passion scribouillarde lui vaut quelques déboires. Contrairement à Jean Teulé qui se limite à de très académiques reproductions animalières, les cahiers de Jean-Paul sont maculés de petites danseuses nues en bas résille, de Zizi Jeanmaire miniatures uniquement vêtues de leurs trucs en plume. A neuf ans, c'est incongru. Madame Tap, alarmée par cette activité égrillarde, sévit. Elle punit le caricaturiste en le faisant circuler dans toutes les classes, sa gravure érotique épinglée dans le dos. Humiliation extrême. « Oh, la fille ! » répète-t-on, dans la cour, à son approche. « Jean-Paul est une fille manquée », reprennent en cœur les virils cousins du Lot-et-Garonne, monomaniaques joueurs de rugby. Sauf que les petits blasons commencent à produire un curieux effet. Jean-Paul amuse, séduit, étonne et suscite même une forme de respect : « Je me suis aperçu, en fin de compte, analyse-t-il, que la différence payait. Quand l'institutrice m'a puni, j'en ai été mortifié, mais j'ai aussi entendu un rire complice et solidaire de la part des autres élèves. L'univers s'ouvrait avec un sourire. Cela m'a réconcilié physiquement avec moi-même (je me trouvais si moche avec mes oreilles décollées !) et puis j'ai ressenti que cette sensibilité particulière qui était la mienne, je ne devais pas l'occulter mais la cultiver, au contraire. »

C'est aussi à cette époque qu'il se met à broder sa généalogie, à s'inventer des origines arabes, des ancêtres prestigieux et galonnés. Quand la réalité n'offre pas un tombé parfait, l'enfant la retouche un peu. Marie-Yvonne Paîtry, institutrice de CM2, a gardé dans ses archives une scène de tournoi sur papier quadrillé, un pastel médiéval signé. « Je viens de réaliser que ce petit garçon doué, peu travailleur était le fameux Jean-Paul Gaultier, je n'avais pas fait le lien jusque-là. » L'enseignante se souvient surtout du jour où elle a dû ruser pour le démasquer : « Il était très couvé par ses parents et un peu comédien. Lors d'une visite médicale pour le contrôle de la vue, il lisait tout de travers. Je n'avais jamais remarqué ce problème en classe et, connaissant mon loustic, je devine qu'il joue au myope pour obtenir une paire de lunettes. J'en glisse un mot à l'infirmière qui lui dit : "Je crois que tu ne vas pas très bien, tu vas avoir besoin d'une piqure." Brusquement, le prétendu myope déchiffrait parfaitement toutes les lettres du test optique ! »

Hormis Nana, ours travesti, défiguré, torpillé, Jean-Paul ne collectionne rien. Ni timbres ni soldats de plomb. Il préfère noircir ses carnets. Il se dit dyslexique pour justifier ses résultats moyens. En sortant de son F3, il aperçoit l'église Saint-Denys, pépite enluminée du XIIIe siècle, classée monument historique. Les messes du dimanche sont célébrées à la chapelle Jésus-Ouvrier, 20, avenue Lénine. Marxisme et catéchisme, lutte des classes et enfants de chœur. Par ailleurs, la ville offre des trésors cachés. Un carrefour saturé de jaune safran peint par Matisse témoigne de son ancienne splendeur. Rue Cauchy, trône la très laide maison aux quatre cheminées où Erik Satie vécut et composa ses surréalistes *Gymnopédies*. Satie, l'original, que Gabrielle Chanel invitait à tous ses dîners mondains, à Garches. A deux cents mètres, une mystérieuse impasse pavée mène le visiteur au cœur des Lumières et de l'effroi. C'est ici, au deuxième étage d'un lugubre immeuble en ruine que le marquis de Sade perpétra l'un de ses crimes. La mairie d'Arcueil hésite à y poser une plaque. Le communisme peut-il décemment célébrer le sadisme ?

Non loin, le collège Paul-Bert, où Jean-Paul se rend à reculons. Ce bâtiment vermillon exhibe dès l'entrée ses casiers individuels surmontés de la menaçante étiquette : « Affaires de piscine ». Les maillots hideux, l'odeur de chlore, le carrelage humide, il les a en horreur. Dès qu'il rentre chez lui, il se déshabille, enfile son pyjama, s'allonge sur son lit, bâcle ses devoirs, froisse le papier et envoie valser la boulette au-dessus de l'armoire en tek : « J'avais un côté Alexandre le bienheureux. J'ai adoré plus tard cette scène épicurienne où, depuis son lit, Philippe Noiret actionne un système de poulies ornées de poulets et de saucissons qu'il gobe, en roi fainéant. »

« C'est avec ce qu'on n'apprend pas qu'on réussit », affirme Coco Chanel. Jean-Paul va apprendre si peu qu'il arrêtera sa pénible scolarité en première, non sans avoir redoublé deux fois. Evelyne ne doute pas, elle, que son inventif cousin est promis à un avenir radieux. C'est en 1964 que surgit sur un cahier d'école marron taupe son premier book. Il n'a que douze ans mais le coup de crayon est déjà celui d'un pro de la mode, maîtrisant, sur pleine page, des robes trapèze, des manteaux d'inspiration Dior ou Courrèges, portées par des Parisiennes de Kiraz étrangement décapitées. Parfois, il les gratifie d'une hémiface, sans traits, si et seulement si elles doivent exhiber des boucles d'oreilles ou un collier. Une tête sans visage apparaît par moments pour soutenir un calot ou un bonnet à pompon. Gaultier possède déjà un stupéfiant sens utilitaire du mannequin. Astucieux, il ne dessine que ce qui sert au vêtement, pas au modèle.

Conséquence logique : ces filles (aujourd'hui encore, il déteste les accessoires) n'ont pas de mains ni de pieds puisque les sacs et les souliers l'indiffèrent. Toutes les huit pages : une robe de mariée aérienne, piquée d'orchidées et d'un voile minimal. Ici et là, la reproduction réaliste d'une icône yéyé : Chantal Goya, Pétula Clark, Sylvie Vartan époque dents-du-bonheur, frange boudeuse et minirobe à trois volants, telle qu'elle enchanta Paris en première partie du concert des Beatles à l'Olympia. Une saisissante Sheila avec demi-queue-de-cheval pâtissière, serre-tête et chasuble clôt cette séquence *Salut les copains*.

Dans le *Jardin des modes*, il parfait son étude de l'histoire du vêtement. Très vite, il sait ce qui est bon et juste et ce qui ne l'est pas. Cet instinct puissant ne le quittera plus. Les magazines lui enseignent la couture, juste retour des choses, il deviendra un jour le chouchou des rédactrices de mode. A la maison, on ne s'émeut guère de cette inclination textile. On accepte le fils prodige tel qu'il est. Evelyne s'en explique : « Nos parents étaient des gens de gauche. Ils nous ont transmis des valeurs d'ouverture et de tolérance. Ils étaient dépourvus de préjugés, ni xénophobes, ni racistes. On ne roulait pas sur l'or, on ne manquait de rien, on était aimés sans débordements démonstratifs. Paul et Solange ne plaçaient pas la réussite scolaire au-dessus de tout, ce qui primait c'était que nous soyons des êtres épanouis. »

Solange, brune discrète, caissière au restaurant de la Caisse des Dépôts, distinguée, croyante, habille son petit garçon de costumes de velours brun, de gilets écossais, de débardeurs en tricot, de chemises blanches immaculées. Elle l'endimanche, le couve des yeux, l'adore : « Elle n'a pas eu une jeunesse facile, ma tante, révèle Evelyne. Ayant perdu sa première fille, sa mère a toujours été dure avec elle comme si elle lui en voulait d'avoir survécu à ce chagrin. » Ce deuil conduit la terrible Mémé Garrabé au transfert affectif que l'on sait. La naissance de Jean-Paul, petit-fils idolâtré, compense la perte de son propre enfant, saut générationnel névrotique et fréquent. Solange et Marie sont mises en compétition maternelle. Œdipe tremble. L'enjeu ? Ce chérubin tendre, délicat et drôle dont on s'arrache la présence : « Solange se plaignait de ce rôle usurpé, confirme Evelyne, et de l'emprise que sa mère avait sur Jean-Paul. »

En poussah partout gratifié, Jean-Paul récolte les bénéfices de cette surenchère d'amour. A l'adolescence, les filles s'entichent de ce joli cœur, grand, mince, aux yeux bleu lagon : « Toutes mes copines en étaient folles, raconte Evelyne. Pour notre premier voyage au Maroc, au Club Med, à Smir, avec les parents, on dansait le rock sur la piste tous les deux dans une chorégraphie très au point. Et, à mon mariage, les invitées lui tombaient dessus pour les slows. » Problème : Evelyne ne réalise pas que son cousin n'est pas très « slow ». Lui non plus, d'ailleurs, puisqu'il se cherche activement une identité : « J'ai fait les choses avec méthode. Je suis allé au Quartier latin visionner tous les Pasolini. Des heures entières à méditer sur le sujet. Les acteurs ne me semblaient ni très beaux ni très hardis sexuellement. Celui qui me troubla le plus fut Terence Stamp dans *Théorème.* » Déstabilisante expérience : le visiteur anglais fait l'amour à tous les membres de la famille pasolinienne, filles et garçons compris. Bref, Jean-Paul n'est alors sûr que d'une chose : comme l'amusant Monsieur Dior dont il a lu à treize ans les *Mémoires*, il montera à l'assaut de la capitale et sublimera les élégantes. Granville ou Arcueil, même combat. Et le métro qui mène à Paris se trouve à deux pas de chez Mémé, près de la confiserie Ninon. C'est un signe, non ?

Cardin superstar

> « La mode est ridicule avant et après, elle n'est tolérable que pendant. »
>
> Pierre CARDIN

Les croquis prolifiques s'empilent dans un tiroir de sa chambre. Marc Bohan, le styliste de Dior rencontré par une amie de la famille, a jugé ses dessins intéressants mais l'atelier étant complet il n'a pu engager ce stagiaire, aussi doué fût-il. Terrifié à l'idée d'être rejeté, le néophyte n'ose pas se présenter en personne dans les grandes maisons qui le font rêver. Courageusement, il envoie son travail par la poste à vingt-sept couturiers, se terre et attend. Comme dans les films de Capra, le destin se manifeste par un coup de fil le jour de ses dix-huit ans, le 24 avril 1970. « Monsieur Cardin vient d'appeler », annonce sa mère à l'enfant prodige de retour à Arcueil. Il lui a donné rendez-vous le jour même. Panique immédiate du postulant ! Il fait jurer à Madame Gaultier de l'accompagner jusqu'à la porte de l'immeuble. Elle l'attendra… place Beauvau. Pour un peu, il lui demanderait bien d'assister à l'entretien, ce qui, même en plein paternalisme pompidolien, serait le comble du ridicule. Heureusement, elle refuse. Une heure passe. Solange récupère son rejeton. Il a la gorge nouée et le visage rosé des marathoniens en fin de course. A la légitime curiosité maternelle à propos de Pierre Cardin, vedette de mode, le candidat n'offre aucune réponse. Grand ? Possible. Mince ? Sûrement. Elégant ? C'est une piste. Il n'a rien vu, presque rien retenu, excepté son timbre de voix. Il se lance alors dans une imitation nasillarde et assez bien sentie de son futur patron. Car l'adolescent est bel et bien engagé chez Cardin. Arguant d'un bachot proche, le petit dessinateur propose au maestro une espèce de mi-temps au rabais. En fait, il n'a que quatre après-midi par semaine à lui consacrer. Avec le culot de ses dix-huit ans, il impose son propre emploi du temps. Professionnel, Cardin offre même un salaire : 500 F. Jean-Paul, dans une candeur euphorique, s'entend alors répliquer : « Par jour ? »

Le débutant Gaultier aurait sans doute accepté le job pour rien. Dans le maigre colis expédié, il y avait de tout, n'importe quoi et surtout trois fois rien : des bracelets, des ébauches, des sequins : un scrapbook d'écolier inventif mais totalement improbable. Plus tard, Gaultier, lucide, en dira : « Tout cela était d'un mauvais goût total. » Que ce cahier d'amateur désireux d'épater la galerie ait plu à Cardin relève du miracle. Une semaine plus tard, une autre convocation tombe, tout aussi prestigieuse. Le scrapbook a encore frappé : Louis Féraud en personne accueille le néophyte. Autre style, autre ton. Le couturier, très *old school*, ne supporte pas la désinvolture de son jeune interlocuteur. Apprenant qu'il est déjà en place chez Cardin, il décide même d'écourter l'entretien. Gaultier est stupéfait. Il prend sa première leçon de diplomatie. Celle-ci vaudra pour les quatre décennies suivantes, pour toute sa vie. Les coulisses de la couture s'apparentent au Quai d'Orsay. Il y a un protocole, une étiquette, un savoir-dire et un apprendre-à-taire que le lycéen d'Arcueil ne maîtrise pas le moins du monde. Face à l'imposant *condottiere* de la robe chic et austère, il accumule les gaffes, cite la concurrence, s'enorgueillit d'en faire partie. Bref, dans ce monde paranoïaque et suspicieux où règnent l'hypocrisie, la jalousie, le sens du secret bien gardé et la psychose du vol des idées, Gaultier fait figure d'espion jovial, de 007 au service de Sa Majesté Cardin.

Qu'importe, au fond, cette rebuffade. Sa chance est immense. Il prend le métro, arrive à Paris VIIIe, en face de l'Elysée, monte au sixième, dans le petit atelier où sont réunis une trentaine d'assistants-dessinateurs : « J'avais besoin de tout ce petit monde et vous savez pourquoi ? » Le timbre est moins nasal mais la nerveuse silhouette de ce gamin de quatre-vingt-huit ans aux cheveux blancs semble inchangée. Sur les murs de son bureau présidentiel au stylisme indécis entre Bauhaus vert bouteille et design industriel, sont patchés ses moments de gloire : Cardin avec Deng Xiaoping, Cardin avec Indira Gandhi, Cardin avec Fidel Castro, Cardin, sabre au poing, entouré de ses potes académiciens et Cardin tout seul, à la une du *Time*, en 1973, posant nu, une serviette éponge fuchsia autour de la taille, ses petits pieds emmaillotés dans des chaussettes en fil d'Ecosse siglées PC. Il trotte, on le suit : « A l'époque, je présentais quatre cents modèles pour chaque collection et puis je développais ma marque, je ne voulais pas d'une griffe, une griffe disparaît. Les objets pour la table, pour le voyage, pour la maison : il fallait envoyer une cinquantaine de croquis de chaque produit à chaque pays. Et pas de photocopie, on faisait tout à la main. J'avais besoin de dessinateurs et j'ai toujours aimé aider les jeunes. » Le démiurge se souvient d'un Jean-Paul en pull blanc à col roulé polyamide, charmant, maladroit, timide, extrêmement bien élevé et assez doué pour lui présenter d'épatants dessins : « Je ne peux pas dire que j'aime tout du Gaultier d'aujourd'hui, précise le cosmo-styliste. Par exemple, ces hommes nus, noirs, en tutu rose, je ne suis pas très client. Mais il a le génie du collage et de l'association, il est devenu un grand baroque. »

Chez Monsieur Cardin, le futur grand baroque engrange, imprime, expérimente et apprend. C'est l'école buissonnière et l'université du goût. Naturellement, il ne passe pas son bac mais tout le monde sait autour de lui que son destin est déjà tracé. Son diplôme cousu main, il le décrochera à coups de ciseaux et de fusain. Mémé Garrabé, son père, sa mère et ses amis sont affranchis. La question n'est plus : sera-t-il couturier ? Mais : comment le deviendra-t-il ? Et à quelle vitesse ? Chez Cardin, il prend d'abord la mesure de ses lacunes. Elles sont multiples. Il a bien son *Falbalas* en tête, il connaît les shows des Folies-Bergère, la saga approximative des rois et reines de France, et la variété de l'ORTF. Pour le reste, ce grand brun aux yeux piscine, dégingandé et timide, manque terriblement d'entregent et de repères. Sa culture est limitée, périphérique, banlieusarde, populaire. Il ignore tout du vernis mondain, de l'usage du *name-dropping*, cartes de visite incontournables des salons parisiens.

Le débutant vient d'ailleurs de subir un terrible affront. A Yves Saint Laurent, il a expédié le cahier d'écolier qui circule un peu partout dans la capitale. La réponse n'est pas catastrophique. Elle est mitigée, c'est pire. La maison de l'avenue Marceau fait savoir au jeune Gaultier que ses dessins sont appréciés en haut lieu. En revanche, on a jugé ses couleurs particulièrement affligeantes. Il faut oublier le disciple de Monsieur Dior, ne pas focaliser sur ce semi-échec et se concentrer sur le monde de Pierre Cardin. Au faîte de sa gloire dans les années soixante, lauréat du *fashion award* du *Sunday Times*, Cardin est alors à la mode ce que l'Op Art est à la peinture. De ses intuitions émerge une jeune femme graphique, insolente, avant-gardiste, qui semble avoir été élevée dans une galerie de Soho. Elle porte beaucoup de blanc pour plaire à Pollock, s'encanaille dans des minijupes griffées Vasarely, possède l'allure et la légèreté d'un mobile de Calder. Coco Chanel exècre la Parisienne Cardin mais elle exerce une telle influence dans la jet-set, révolutionne si fort les mentalités qu'on ne peut plus faire sans elle. Fort de ce succès, Cardin s'insinua alors dans tous les domaines de la création, et exaspéra ses fans. Etre connu, reconnu, porté partout ne lui suffisait plus.

Il signa des chaussettes, de la vaisselle, des bagues, des montres, des bols en plastique, des tabourets et des commodes, des restaurants, des théâtres, des voitures, des avions. Ses initiales calligraphiées PC, si peu communistes, volaient de meubles en objets. Commercialement, le même expansionnisme était en œuvre.

Licences, franchises, l'infatigable Cardin bâtissait patiemment un empire, en hyperactif insatiable, en démiurge indifférent au vacarme du qu'en-dira-t-on. L'espace Cardin, créé en 1970, devint une petite mégapole. Le complexe artistique donnerait sa chance aux jeunes auteurs, peintres, sculpteurs, acteurs, metteurs en scène, danseurs, compositeurs, chanteurs. Un mécénat explicite, un pont jeté entre la mode et les arts. Des clichés people circulent : Marlène Dietrich, Charlotte Rampling. Il est partout, dans les boîtes de nuit, aux premières, aux vernissages. Sa *love affair* avec Jeanne Moreau est rendue publique. Sur tous les fronts, attentif à l'émergence des tendances, il botte les femmes de cuissardes de vinyle noir, crée une collection martienne baptisée « Cosmocorps », conçoit des robes, superpose des maximanteaux et des minijupes, clin d'œil en forme de cerceau, de bavoir. Parallèlement, il instille un humour décalé dans la mode masculine. Ses Batman, ses jockeys, ses 007 défilent sur les podiums. Il est *shocking* et déstabilisant. Il place l'ironie et l'irrespect assez haut pour envoyer balader la chambre syndicale de la couture en 1959. L'insolent a, scandale absolu, présenté une collection de prêt-à-porter dans un grand magasin ! Partout, il va répétant son fameux slogan : « Les vêtements que je préfère sont ceux que j'invente pour une vie qui n'existe pas encore, pour le monde de demain. »

Les seventies de Cardin, Gaultier les vit de l'intérieur, aux premières loges. Plus ou moins inconsciemment, il s'imprègne de son programme. Apprend lui aussi à embrasser toutes les disciplines, à intégrer le monde du dehors à la création. Anticiper le futur, s'amuser, se moquer des vaches sacrées, habiller et côtoyer des stars, détonner dans le sérail policé, prout-prout de la mode. Ce n'est pas tout. Cardin invente sans le savoir un prototype de couturier-vedette, de créateur-icône, que les décennies suivantes vont sacraliser. Parce qu'il incarne, en acte, la « marque Cardin », il déplace le flux du désir de la cliente sur sa propre personne. Ce subtil détournement, ce transfert projectif va faire sens et modifier progressivement les lois du marketing de la mode. On ne veut plus porter du Cardin, on souhaite être portée, soulevée, coachée par Cardin. Le coefficient « plus », c'est la *persona* du styliste, désormais indissociable de celle du mannequin qui sublime le vêtement convoité. L'assomption du créateur en tant que demi-dieu est en train de se mettre en place. Elle connaîtra son apogée avec Karl Lagerfeld qui aime à répéter qu'il est aussi célèbre que « Nicole Kidman et Mick Jagger ». Ce glissement de sens profite évidemment à son label mais il ne s'agit pas d'un bénéfice exclusivement commercial. Que Chanel vende plus ou moins de modèles depuis la stupéfiante et planétaire notoriété de Karl n'est pas essentiel. Pour exister, la mode doit ajouter à sa mise en scène traditionnelle – défilés, photos, comptes rendus dans les magazines – ce supplément d'âme que personnifie le créateur-roi. Surexposé, interrogé sur tout et sur rien, doté d'un discours surprenant et d'un look immédiatement identifiable, le styliste vedettisé, médiatisé, désirable et désirant, le couturier people est né avec Pierre Cardin.

A l'époque, Jean-Paul n'analyse pas précisément l'influence décisive de Cardin mais il se sent en osmose et le dit à sa manière : « On était impliqués dans le design de choses qui n'avaient jamais été considérées comme affiliées à une maison de couture : des assiettes, des tapisseries, des sièges étaient fabriqués au studio. On nous demandait, à nous les assistants, de venir donner des idées dans des brainstormings informels. Une fois j'ai proposé un collier de chien muni d'une montre qu'on pouvait consulter en levant la main droite dotée d'un bracelet-miroir. Il n'a pas aimé. Un autre jour, j'ai vu, sous une pluie battante, un jeune couple s'abriter sous un imperméable. Cela m'a donné l'idée de créer un ciré de marié à deux places. Mon projet loufoque n'a pas été retenu. » Gaultier l'épigone prend des notes. On retrouvera dix ans plus tard, revisitée et déconstruite, la quasi-totalité de la méthode du maître. « L'extravagance était encouragée. Rien n'ici ne rebutait ni n'effrayait les gens. En fait, Pierre était lui-même si étonnant, si original, si ouvert sur tout que rien ne lui semblait hors de propos ou insensé. Il a été mon mentor, m'a montré l'horizon et la ligne à suivre. Il était dépourvu de cette horrible étroitesse d'esprit de la bourgeoisie française. Tout le monde, du plus petit assistant au plus gradé, pouvait donner ses idées librement. Philippe Stark a d'ailleurs fait partie de sa promo de jeunes stagiaires. Cardin était, bien avant que ce soit la mode, un homme de show. Il disait, par exemple : "Je veux voir une collection pour des femmes qui vont dans la lune." Il avait une idée par seconde, travaillait dans des carrés, des cercles, des diagonales. Il était si géométrique, si futuriste, qu'à un moment je me suis interrogé : où est la femme dans tout ça ? » Assistant à son premier défilé Cardin, ébloui par la machinerie, la scénographie, Jean-Paul tombe en sanglots. Chargé de confier leur numéro de passage aux mannequins, le jeune assistant s'enfuit. Hélas, les beaux jours n'ont qu'un temps. Les effectifs sont surchargés. Cardin ne peut garder Gaultier. Vient la transition Esterel, prêt-à-porter en jersey bovarysé qui ne laissera chez lui aucune trace.

Rendez-vous chez Patou

> « Ne fît-on que des épingles, il faut être enthousiaste de son métier pour y exceller. »
>
> Denis DIDEROT

Les seventies, décennie de plein emploi, période bénie pour les ambitieux, offrent une nouvelle opportunité à l'apprenti styliste. La maison Patou cherche un assistant. Jean-Paul postule et obtient le poste. Son patron s'appelle Michel Goma. Aux commandes de l'hôtel particulier de la rue Saint-Florentin, il succède à Marc Bohan et à Karl Lagerfeld. On imagine la rupture, géographique d'abord : du laboratoire cosmique de la rue de Marigny où règne un affectueux chaos spatial aux boiseries cirées de la rue Saint-Florentin qui exhalent un parfum fin de siècle de jasmin poudré, le décalage a de quoi asphyxier un jeune homme post-soixante-huitard. Patou, c'est d'abord Jean, un beau spécimen proustien au regard clair, une sorte de Saint-Loup au front large. Héritier d'une lignée de maroquiniers de luxe et de fourreurs, élevé dans le sérail, contemporain de Paul Poiret, Jean ouvre sa maison de couture le 2 août 1914, jour de la mobilisation générale contre l'Allemagne. Le lendemain, il part servir sa patrie comme capitaine de zouaves dans l'armée d'Orient aux Dardanelles. Coup d'arrêt drastique aux froufrous. Quand il revient à Paris, le militaire épouse avec ferveur les années folles, façonne des garçonnes chic et prend part activement à l'émancipation des élégantes. Les femmes Patou semblent tout droit sorties d'une page de Fitzgerald. A leur bras, dans les palaces de la Riviera, paradent des Gatsby en smoking. Elles sont élancées, minces, fantasques et richissimes. Grâce à Jean, leurs costumes de bain ont l'air de quelque chose. Sur les plages d'Antibes, de Biarritz ou de Deauville, les baigneuses de Patou dévoilent leurs jambes de faon dans des deux-pièces en tricot que Chanel, embusquée sur les Planches, observe d'un œil jaloux. La grande Mademoiselle a très peur de l'ombre portée du gourou de la rue Saint-Florentin. Elle redoute ses captations dans le *Bottin mondain*. Des Balkans, il rapporte des imprimés chatoyants. New York ? OPA réussie, il se déploie sur la Ve Avenue.

Dans son cheptel de clientes griffées : la duchesse Maria Pavlovna, la meneuse de revue Joséphine Baker et la divine Louise Brooks. L'interprète de Pabst, troublante et diaphane icône du cinéma muet, femme fatale personnifiant à elle seule la séduction dangereuse des années folles, s'habille en Patou. Ce genre de détail stimule infiniment le jeune homme de dix-neuf ans qui pénètre cinquante ans plus tard dans cet hôtel particulier lourd d'un prestigieux passé. Jean-Paul voue d'ailleurs un culte à Loulou, star inaugurale de l'histoire du cinéma, silhouette éthérée, comète d'une constellation habitée ensuite par Garbo et Dietrich. Il admire Brooks et ignore encore que son destin va le conduire sur les traces de Patou. Lui aussi, soixante ans plus tard, habillera les muses de son époque. La plupart viendront à lui, spontanément. Comme Juliette Binoche, assise dans sa loge du National Theatre, à Londres et qui raconte en grignotant des sablés sa jubilante rencontre avec Jean-Paul. « C'était en 1999. Je venais d'apprendre que j'étais nominée aux Oscars pour *Le Chocolat* de Lasse Hallström. Je ne suis pas très robe du soir. A vrai dire, je ne suis pas couture du tout. J'ai une assistante qui s'occupe très bien de ces choses pour moi. Mais là, par intuition, je lui ai parlé de Gaultier, voulu le rencontrer. Il était d'accord. On s'est vus et je lui ai longuement parlé de Louise Brooks, de la place qu'elle tenait dans ma vie, de l'inspiration que je puisais bien souvent en elle pour nourrir mes personnages. Il y avait aussi "Loulou", le parfum qui lui rendait hommage, que j'aimais et qui avait été magnifiquement mis en scène dans une pub. Jean-Paul s'est mis au travail. On se téléphonait pas mal. On ajustait les choses, c'était une construction minutieuse, un travail à deux, un dialogue ouvert, un souvenir merveilleux. Il a été formidablement généreux. Pendant cette période, il a dessiné et redessiné jusqu'à ce qu'il sente que j'étais complètement satisfaite du résultat. A l'arrivée, j'ai eu une merveilleuse robe noire brodée de perles et des bottes assorties qui étaient très inattendues : une petite Loulou française en transit à Hollywood ! »

Chez Patou cuvée soixante-dix, Jean-Paul compulse les archives des années trente et saisit la dimension révolutionnaire du couturier. Un moment de cette histoire l'amuse beaucoup. C'est le chapitre Suzanne Lenglen, délicieusement désuet et postmoderne à la fois. Coup de foudre ou marketing astucieux ? Toujours est-il que Jean s'entiche de la championne de tennis. A l'époque, les mousquetaires, Borotra, Lacoste, Brugnon et Cochet, rivalisent d'élégance dans leurs pantalons de lin blanc cassé. Roland-Garros est un lieu de rendez-vous mondain, au même titre que l'hippodrome de Longchamp. On s'y montre en chapeau melon et en gants beurre frais, aucune négligence n'y est tolérée. Suzanne, femme et championne, fait fréquemment la une des journaux. A cette Isadora Duncan de la terre battue, Patou veut dessiner une tenue de scène, un costume qui enchantera son public et transcendera son jeu, car Suzanne danse littéralement sur les courts. Désormais, son service gagnant est siglé Patou. En jupe de soie plissée au-dessus du genou, son cardigan volant sur sa taille, ses minibas et son bandeau imprimé sur le front, Mademoiselle Lenglen, ange blanc haute couture, démode, raquette au poing, toutes ses adversaires. Le tennis féminin devient gracieux, graphique et terriblement parisien, épithète synonyme d'excellence en matière de mode dans le monde entier. Mais Patou ne se limite pas à Lenglen, il étend son empire à tous les autres sports. Sur les greens, dans les piscines, les gymnases, partout, de gracieuses athlètes promeuvent son sportswear. Car le mot et la chose, totalement inédits, sont lâchés. Dans la foulée, il invente même le monogramme, pratique qui prévaut toujours dans l'univers du luxe. Les initiales JP sont brodées au revers d'un cardigan, en blason sur un pull-over. JP : ces deux lettres recèlent un graphème jumeau. JP, c'est Jean-Paul, en creux, qui hissera lui aussi son pavillon calligraphié sur ses créations quatre décennies plus tard. Cette similitude est un signe du destin.

Décidément précurseur et multicartes, l'inventeur du sportswear et du monogramme, véritable signature apposée au bas d'une toilette, appropriation quasi épistolaire du vêtement, se distingue sur d'autres fronts. Patou n'est pas qu'une main qui griffonne puis donne forme à ses croquis. C'est aussi un nez. Et quel nez ! Un capteur sensoriel unique en son genre puisqu'il va mettre au point la fragrance la plus coûteuse et par voie de conséquence la plus rare du moment. Joy surgit en 1930 et obtient assez vite, *mezza voce*, ce slogan inattendu : « Le parfum le plus cher du monde ». C'est à ce genre de trouvaille publicitaire qu'on mesure le savoir-faire d'un génie. Karl Lagerfeld, qui présidera aux destinées de la maison, retiendra bien cette leçon d'immodestie, cet euphémisme inversé, quintessence du snobisme qui fait vendre. « Le plus cher du monde ». Oser afficher ainsi un privilège, ériger un excès, une anomalie, un scandale en objet du désir, Karl l'amiral, le *velvet rocker*, en fera, à la suite de Patou, son credo chanelisé. Joy, qu'on porte au creux du poignet, coûte aujourd'hui encore la peau des fesses, 967 euros exactement pour un flacon baccarat de 30 millilitres, mais l'élixir a des excuses. C'est un tyran raffiné, un ogre floral. Pour obtenir deux kilos de son jus il faut broyer dix mille six cents fleurs de jasmin et un nombre calamiteux de jolies roses de mai. Ce n'est pas tout. L'avide extrait doit être récolté sur des jasmins fraîchement cueillis à l'aurore ou au crépuscule, pendant ces heures précieuses où s'ouvrent leurs pétales. Ce cruel conte de fées cache une monstrueuse réalité. Les coquettes du monde entier veulent leur instant de joie, leur instant d'éternité, leurs mille jasmins sacrifiés, leur légende capiteuse. Gaultier saura, une fois reconnu en tant que créateur, jeter les bases d'un empire cosmétique identique. Sa Barbie décapitée, son bustier aux seins coniques enserrant un jus androgyne, piquant, connaîtra peu à peu la même notoriété planétaire que le jasmin ruineux de Monsieur Patou.

Rue Saint-Florentin, l'ambiance est stricte, classique, disciplinée, anxiogène. Gaultier doit s'adapter aux codes de la haute couture même s'il sent déjà confusément qu'il n'entrera pas dans son moule millimétré. Angelo Tarlazzi, avec qui les relations ne sont pas très bonnes, succède à Michel Goma. Jean-Paul se sent frustré, gêné aux entournures, superflu, inutile. Cherchant sa place sans la trouver, il profite de ce séjour chez Patou pour théoriser deux ou trois intuitions, élabore même une philosophie de la mode à laquelle il ne dérogera plus guère par la suite. Une très belle cliente produit sur lui un étrange effet. Austère mais splendide, il se dégage d'elle une indicible tristesse. Très vite, il reconnaît la signature de son ensemble de crêpe de Chine kaki : c'est celle d'Yves Saint Laurent, identifiable entre mille. En contemplant la mélancolie digne, élégante de cette femme, Jean-Paul comprend le projet du prodige : il révèle l'individualisme de chacun. Quand Saint Laurent habille une femme, c'est elle qu'on regarde, pas son couturier ni sa toilette. L'abondance des gadgets, les idées et les détails sophistiqués nuisent à l'excellence du résultat.

Il n'a que vingt ans mais il commence à questionner son métier, à mettre en pièces et en puzzle tous les éléments. L'équation – couturier égale artisanat au service de la cliente – est si difficile à résoudre. Et d'ailleurs, le problème se pose-t-il en ces termes ? Quel rôle joue exactement le couturier dans cette relation ? Que veut la femme ? Les deux parties sont-elles d'accord sur le contrat ? Surtout, ce pur produit de la génération féministe entend accélérer leur libération. Elles sont encore prisonnières d'un idéal physique, impossible à atteindre. Jean-Paul, lui, substituera à cette illusion une proposition simple et libératoire : le style. Acquérir un style est à la portée de tout le monde, se dit-il. Ayant un point de vue privilégié sur les ténors de la confection, il décide d'observer de près leurs interprètes, ces incontournables intercesseurs entre le créateur et la création, le monde du dedans et celui du dehors, les supports ultimes du désir de mode : les mannequins. A l'époque, ce qui domine, c'est l'uniformité des morphologies, l'unité des visages émaciés, des poitrines effacées, des teints clairs, des cheveux blonds et des yeux bleus. Paris ne sort pas des canons officiels alors que Londres sème, upside down, la panique dans les esprits, en propulsant Twiggy la brindille, fil de fer androgyne, teenager aux cheveux courts et aux grands pieds.

« Dans chaque défilé, note alors le néophyte, le mannequin jouait un rôle crucial. Il fallait choisir les bonnes, celles qui collaient à la fois à l'air du temps et à l'atmosphère, au style de la collection. J'étais très influencé sans le savoir par l'esprit conservateur qui régnait chez Patou. J'ai compris *a contrario* ce que je ne voulais pas et ce que je voulais. Je me souviens d'une fabuleuse Black qu'à coup sûr on ne recruterait pas en 1971. C'eût été choquant pour une maison de couture aussi traditionnelle. Lorsque j'ai émis l'idée que celle fille serait parfaite dans un défilé, on m'a dit : "Tu es fou ? Cela ne colle pas avec l'esprit maison. Tu veux faire fuir la clientèle américaine[1] ?" » Gaultier rue dans les brancards. S'il réussit à se frayer un jour un chemin dans cet univers, il sait qu'il devra affronter des préjugés d'un autre âge, imposer ses convictions, son idée de la femme, de la beauté plurielle, de l'égalité des races. En plein *flower power*, alors que le *woman's lib* multiplie les actions d'éclat, que 68 a dépoussiéré la vieille maison France, la couture demeure un bastion étonnamment réactionnaire et rétif aux changements de mentalité.

---

1. Extrait de *Jean-Paul Gaultier* de Colin McDowell (Editions Cassel Paperbacks, 2000).

Anna, Donald, Francis et les autres

> « Le tact dans l'audace, c'est de savoir jusqu'où on peut aller trop loin. »
>
> Jean COCTEAU

La seule allégeance au pouvoir jeune se manifeste chez Patou par le recrutement d'Anna Pavlovski. Tarlazzi flashe sur cette silhouette nonchalante, brune androgyne, Slave aux cheveux courts, contraire en tous points aux canons officiels. Parce qu'ils sont des rebelles nés, des enfants du désordre, ces deux-là vont fraterniser et devenir alors complices pour la vie. Anna, quinquagénaire en col mao, n'a plus quitté Jean-Paul depuis et travaille à ses côtés. Avec ses yeux bleu délavé, sa coupe de garçonne et sa tresse unilatérale, elle évoque un adolescent talmudiste peint par Modigliani. Anna se souvient : « Le rire de Jean-Paul, d'abord, ce tonnerre cristallin, contagieux, une sonate des Stones ! Comment expliquer un coup de foudre amical ? C'est ce que nous avons vécu, à la première minute, dans les salons guindés de chez Patou. Moi, j'étais un mannequin pas comme les autres. Je n'avais pas la beauté lisse requise, avec mes traits mongols, mes origines mi-polonaises, mi-russes. Je détestais la manière arrogante dont on vous ravalait au rang d'objet. Notre complicité est née d'un rejet commun. Tout nous paraissait ridicule : les diktats de la haute couture, ses rites, les gens qui y vivaient. Et d'ailleurs, cela n'a pas traîné, on s'est assez vite fait virer tous les deux ! » Tant mieux. Jean-Paul étouffe chez Patou. Comme free lance, il travaille pour Yves Delorme et Philippe Lelong et dessine une ligne de fourrures pour les visons Paul Rotenberg.

Mais Cardin le contacte à nouveau. Il a besoin d'un styliste doublé d'un homme d'affaires pour son développement aux Philippines. Jean-Paul Gaultier accepte, fidèle à son credo : « Je suis taureau, dit-il souvent, je sens, je fonce, je fais. » C'est son premier très grand voyage. Il y puise de scintillants clichés qu'on retrouvera dans les collections futures. L'Inde, le Népal, Manille. Jamais l'enfant unique n'avait été tenu si longtemps éloigné de son foyer. Il s'affranchit assez violemment du cocon parental, côtoie la misère, observe la haute société expatriée en Asie, prend la mesure des inégalités sociales. Mais il a le mal du pays. Anna a intégré entre-temps l'écurie Saint Laurent. Elle défile pour son idole et lui s'étiole aux Philippines. Déprimé, angoissé, il rassemble des forces pour regagner Paris. Il s'enfuit, faussant compagnie à la marque Mayagor. Prétexte invoqué ? Sa grand-mère est morte, il doit rentrer de toute urgence en France pour assister aux obsèques. C'est un mensonge, bien sûr. « Je n'étais pas allé au bout du contrat, mais ils me devaient tout de même de l'argent, révèle Jean-Paul. J'explique l'histoire à ma mère et deux jours plus tard, je la vois revenir à la maison, entièrement vêtue de noir, théâtrale. On aurait dit Maria Pacôme dans *Le Noir vous va si bien*. Elle portait un chapeau et un voile, elle s'était déguisée en veuve très digne et était allée réclamer le chèque chez Mayagor pour moi, son fils chéri ! Ce jour-là, elle m'a bluffé. » Le globe-trotter est donc de retour dans la capitale et déterminé. Ses cinq années d'expériences successives chez Cardin, Esterel, Patou et sa feuille de route philippine vont lui servir de curriculum vitae et de fil d'Ariane. Il ignore encore comment il va créer sa marque, inscrire sa trace, mais il est intimement persuadé que son heure est venue. C'est son moment Rubempré, son *kairos* balzacien, son « A nous deux, Paris ».

Sa mémoire a fixé des pistes narratives. On n'invente jamais rien *ex nihilo*. On brode avec talent sur un canevas fondateur, un napperon sémiotique, mimétique. Ses illustres aînés, ses guides spirituels, ses mentors, l'homme les a déjà rencontrés. Il est en train de digérer leur savoir-faire. Dans son laboratoire intime, Gaultier range ses tubes à essai. Aujourd'hui, il lui faut de l'aide. Humaine, charnelle, concrète. Le starter prend la forme d'un camarade de classe. Jean-Paul Potard, le complice de l'école primaire, celui avec qui il a fait les quatre cents coups au dernier rang, réapparaît dans sa vie. Deux Jean-Paul : il y en a décidément un de trop. Il existe une tradition dans les maisons de couture : la dernière ouvrière arrivée doit changer son prénom s'il existe un homonyme ! Jean-Paul Potard, déjà rebaptisé Donald à l'époque d'Arcueil, le restera pour tous et sa vie durant.

Un jour sur le boulevard Saint-Michel, en septembre 1975, Jean-Paul découvre Francis Menuge, copain de Donald, étudiant en droit à Jussieu et ex d'Arcueil lui aussi : « Ce fut le coup de foudre pour moi, immédiat. Ce type était extrêmement mignon, drôle, brillant, vibrionnant. Mais, dans la conversation, je crois comprendre qu'il aime les femmes. Le soir même, au téléphone, Donald me dit que je me trompe gravement, que je lui ai plu aussi et qu'il lui a demandé mon numéro de téléphone. La suite est une histoire d'amour qui a duré quinze ans… » Le trio du 94 décide donc de lancer l'artiste du groupe dans le monde. Une énergique Antillaise d'un mètre quatre-vingts leur est présentée. Drôle, volubile, athlétique, gourmande, chaleureuse, elle s'appelle Aïtize et Jean-Paul en fait sa poupée-mannequin. Agenouillé, il lui façonne une robe bleue Lourdes, un maillot de bain une-pièce en soie noire dont le drapé est si complexe qu'il doit le renouer sur elle à chaque essayage.

« J'ai tout de suite adoré Jean-Paul avec sa bouille irrésistible et Francis qui était si drôle, raconte cette néo-Grace Jones, aujourd'hui assistante à la vente… chez Jean-Paul Gaultier. On ne se quittait pas. Shopping, virées en boîte, essayages et appartement commun. Rue François-Ier, on dormait bien souvent dans le même lit tous les trois, en tout bien tout honneur. Je devais être très naïve car c'est Solange, la mère de Jean-Paul, qui m'a affranchie un jour : "Je vois que tu apprécies mon fils, Aïtize, mais tu sais son cœur est déjà pris." » Cette beauté black stimule l'imaginaire de Jean-Paul : il la voit en déesse africaine, la coule dans des fourreaux à capuche décolletés dans le dos, ses fesses joufflues toujours dénudées. Lui taille une robe de mariée en dentelles blanches et en osier. La pousse à devenir mannequin, ce dont elle s'acquitte fort bien. Se montre un soir à son bras dans un cocktail chez Saint Laurent où elle arbore une toilette si bluffante que tout le monde croit qu'elle est vêtue par le maestro de l'avenue Monceau. Erreur : c'est du Gaultier. Le jeune créateur jubile. L'inséparable Aïtize est prête à tout pour lui : le jour, elle vend ses croquis dans le Sentier, la nuit, elle se moule, docile, dans toutes ses fantaisies couturières : « Je n'étais pas amoureuse, j'étais folle de lui, nuance ! »

Dans son atelier high-tech, Francis bricole des bijoux lumineux, des montres en caoutchouc digitales, des accessoires électro-pop dans une décennie baba encore dominée par les robes hippies sirupeuses de Laura Ashley, les colliers africains et le folklore beatnik. Jean-Paul, Francis et Donald ont cinq ans d'avance sur le calendrier fashion. Ils préfigurent les eighties, cette séquence festive mais glacée, racée mais cynique, noire et vinylisée. C'est à Londres qu'il faut chercher l'origine de cette précocité stylistique. Jean-Paul adore Carnaby Street, les ados exhibant dans la rue leurs derniers délires, ce côté Portobello chic et bohème, la mixité culturelle et arty que la *british touch* reflète. Lèche-vitrine à Covent Garden et à Notting Hill, concerts locaux et acquisition d'une discothèque décisive.

Londres agit puissamment sur son cortex. Il y décèle des allures, de nouvelles façons de danser, de bouger, de monter sur scène. Ses icônes possèdent toujours un passeport anglo-saxon. Un soir, au théâtre, il découvre un ovni qui va devenir le *midnight movie* culte des trois décennies à venir. Susan Sarandon, en personne, incarne la Janet coincée, débarquant par une nuit pluvieuse dans un étrange manoir. Elle et Brad, son binoclard de futur époux, sont accueillis par un être à la sexualité ébouriffée, vêtu, sous sa cape de conte Dracula, d'une guêpière, de porte-jarretelles et de bas résille. Le professeur Frank'n'Furth, dans une séquence de rock ironique inouïe, explique aux deux niais qu'il est « un travesti transylvanien bienveillant ». Evidemment, il va les affranchir. Le comédien trans appartient à la troupe de la Royal Shakespeare Company, possède le déhanché de Bowie et la bouche de Jagger. Tim Curry, icône pointue, jouera, comme Susan Sarandon, dans le film tiré de la comédie musicale : « *The Rocky Horror Picture Show*, c'était plus qu'une révélation, un coup de foudre. Un vent de folie soufflait dans le théâtre. On assistait à du jamais-vu, raconte Jean-Paul, le mixage d'une parodie de film d'horreur et de série B sur une partition pop et un message sex, drug and rock'n roll décomplexé et à hurler de rire. » Tim Curry le fascine durablement : ses premières collections hommes seront entièrement inspirées de la dégaine affolante du « gentil travesti transylvanien » !

De Jerry Hall à Alice Cooper et Brian Ferry, d'*Orange mécanique* à Twiggy ou Vivienne Westwood, il pense, dessine et conceptualise en anglais, opposant spontanément l'ouverture british à l'étroitesse frenchy. « Il faut dire que tout ce qui s'offrait à mes yeux : foules, mouvements, concerts de rock, cinéma, je le traduisais instantanément en look. C'était un réflexe pavlovien de créateur de mode. Mes passions étaient très largement visuelles. Dans cet ordre d'idées, je trouvais que la plupart des créateurs français avaient tendance à l'autosatisfaction. Le chic était vraiment l'alpha et l'oméga à Paris. » Sauf que ce substantif désuet subit en 1975 une sévère déflagration. Et ses fidèles supporters ne s'en rendent pas compte. Paradoxalement, c'est l'un des leurs, le parangon de l'élégance parisienne, l'archange, l'éphèbe du chic qui tire le premier le signal d'alarme. Du haut de sa tour d'ivoire de l'avenue Marceau, Yves Saint Laurent, maestro adulé, déclare en 1971 que la haute couture est décadente, moribonde, et qu'il ne veut plus rien avoir en commun avec elle. Celui qui fut, dans les années soixante, remercié par la maison Dior pour avoir exagérément saupoudré d'existentialisme et d'esprit beatnik les défilés de l'avenue Montaigne, croyait dur comme fer au prêt-à-porter, ce sous-produit considéré par la haute couture comme un ersatz standardisé. Gaultier, lui aussi, a saisi l'importance capitale du ready-to-wear et son inévitable percée. Le trio se tient donc prêt pour le premier show du créatif. Le travail pour Mayagor, les costumes de bain pour Annabel et les fourrures pour Chombert rapportent quelques subsides.

Mais le compte n'y est pas. La cagnotte est maigre. Il faudrait un mécène. Menuge entend alors parler des « créateurs industriels », rampe de lancement pour jeunes talents présidée par Didier Grumbach et Andrée Putman. Le Japonais Issey Miyake et l'excentrique Jean-Charles de Castelbajac font déjà partie de leur écurie. Pourquoi pas lui ? Jean-Paul concocte un dossier en béton. Y sont consignés ses croquis visionnaires mais aussi sa théorie. Il y décline déjà les prolégomènes de son style, développant son discours de la mode comme réceptacle de toutes les expériences du vécu. Il y inclut la rue, les phénomènes de société, les avant-gardes émergeantes, les tendances et toutes les formes d'art : cinéma, musique, peinture, graffitis urbains. Cette pop-culture appliquée au vêtement est d'une nouveauté radicale. On ne la trouve alors que dans les mouvements artistiques. Il n'a jamais autant travaillé à un projet mais les « créateurs industriels » ne l'adoubent pas. Menuge et Potard acquièrent la certitude qu'il faut se lancer, seuls, appliquer le système D, rameuter les copains – ils en ont – et ouvrir le show.

Au Palais de la découverte, on découvre

« Ce sont les plumes qui font le plumage. Ce n'est pas la colle qui fait le collage. »

Max ERNST

Octobre 1976. La coupole du musée est louée, une misère. Pour une découverte, c'en est une. Le Tout-Paris ne sait pas encore qu'il va assister aux premiers pas d'un futur incontournable. Tous épouseront bientôt ses idées, marcheront sur ses traces, se glisseront dans son vestiaire. Bref, ils en prennent pour trente ans mais, ce jour-là, qui pourrait s'en douter ? Backstage, les pieds nickelés n'en mènent pas large. Dans son robot-mixeur, Jean-Paul a jeté une multitude d'ingrédients hétérogènes. Il a chiné au marché Saint-Pierre des tissus bon marché, des soies indiennes, des sets de table en raphia (du raphia : comment Janie Samet, du *Figaro*, va-t-elle prendre la chose ?), les bijoux Shadok électroniques de Francis, de gros canevas d'ouvrages de dame à moitié cousus, des dos de boléros, des ourlets à l'envers. En toute hâte, la concierge tricote même des pulls aux deux gentils locataires du troisième étage, pour compléter la collection chabraque. L'ensemble tient du spectacle de patronage et du TP de travaux manuels, maternelle moyenne section. C'est un *work in progress*, un hapenning de cancre doué, un ready-made dadaïste pour cour de récréation. Et le reste est à l'avenant : entre le labo et l'impro. Pas d'argent pour rémunérer les mannequins ? Anna convoque ses copines. Elles défilent pour le fun. Un ami de la bande, coiffeur chez Alexandre, vient s'occuper des cheveux des filles. Ce jour-là, à la même heure, la très étonnante Emmanuelle Khan qui a le vent en poupe présente son prêt-à-porter. La salle est comble. Par chance, Jean-Paul récupère toutes les rédactrices éjectées du défilé Khan. Du coup, son show à lui est plein à craquer et dès les premiers passages drolatiques de sa troupe, un coup de foudre collectif s'installe, plaçant tous les *happy few* dans une connivence exquise. Le couturier rigolo les fait craquer. *Le Monde*, *Le Figaro* se fendent même d'un papier. Le mois suivant, à la très chic boutique Victoire, les petits tricots faits main de la concierge s'arrachent. Un frémissement dont Jean-Paul préfère dire aujourd'hui : « C'était un fiasco intégral. » Il faut le convertir en onde de choc. Toujours fauché, le trio décide de remettre le couvert à la Cour des miracles, cette fois, haut lieu du café-théâtre.

Robin des bois est kidnappé, désossé, désarticulé, travesti. Des grandes filles en collant vert sapin défilent mais dans les coulisses picaresques de la Cour des miracles, on a perdu une ballerine sur deux. Certains passages se font donc pieds nus, dans les fous rires ondulants, contagieux, d'un public totalement séduit. Dans un univers accoutumé aux atmosphères guindées, à l'esprit de sérieux et à la langue de bois, surgit un trublion qui a décidé de tout déconstruire en pratiquant l'humour incisif, le ton parodique, au risque de choquer. En prime, cassant les rituels des collections, il invite les *beautiful people* au café-théâtre et leur sert même un plateau-repas. Une poignée de groupies, dont les rangs grossissent de saison en saison, adhère. Ce mélange d'inventions baroques, d'intuitions fulgurantes et de théâtre de rue qui commence à caractériser le festival Gaultier, plus personne n'entend le manquer. Irène Silvagni est toujours là. Elle débute comme correspondante parisienne de *Mademoiselle US*, le bébé du *Vogue* américain. Cheveux blanc neige sur robe de maille noire, aujourd'hui directrice artistique chez Yohji Yamamoto, cette addict se souvient surtout d'avoir excessivement voyagé en métro, transport assez peu prisé par les modeuses, à cause de Jean-Paul. « On ne voulait pas manquer ses défilés, qui devenaient des événements. Il fallait être à l'heure même pour aller à l'autre bout de Paris. Gaultier nous disait chaque fois : "Vivez au deuxième degré." C'était son message. Une brassée d'oxygène irremplaçable. C'étaient les débuts du prêt-à-porter en France. Kenzo nous faisait sourire mais Gaultier, lui, produisait un choc et on ne souriait pas, on riait aux éclats. Il est arrivé d'un seul coup. Comment peut-on décrire l'adrénaline de la mode ? C'est instinctif, c'est comme une œuvre d'art ou un film. On est habité par le spectacle. Je me souviens très bien des boîtes de conserve détournées en bracelets, des vestes de camouflage qui avaient une allure folle. On assistait à une désacralisation qui n'avait jamais eu lieu avant. »

En 1976, dans un tohu-bohu généralisé, la désacralisation devient en effet un sport national. Valéry Giscard d'Estaing, prototype abouti de la grande bourgeoisie, donne le ton, posant dans *Paris Match* en maillot de bain, inventant sans le savoir la peopolisation de la politique, présentant ses vœux langue-de-bois devant un feu de bois élyséen, flanqué de son épouse. La téléréalité n'est pas encore au point. Les époux Giscard sont si guindés qu'ils semblent déchiffrer un prompteur imaginaire quand ils adressent leurs vœux. N'empêche : Valéry joue de l'accordéon, instrument populaire et très peu présidentiel, s'invite à la table de la France d'en bas, chaque dimanche, pour un pot-au-feu largement médiatisé. Au même moment, un slogan gouvernemental à connotation humoristique, destiné à remonter le moral des troupes en pleine crise économique, rencontre un franc succès : « En France, lit-on sur les murs de l'Hexagone, on n'a pas de pétrole, mais on a des idées. » C'est un proverbe qui paraphrase précisément la position de Jean-Paul sur la scène de la mode. Et cette scène est en train de se dépouiller de ses attributs somptuaires. De Miami à Biarritz, la jet-set teste le prêt-à-porter. Les quatre-vingts boutiques Rive Gauche d'Yves Saint Laurent implantées dans le monde dégagent un chiffre d'affaires écrasant comparé à celui de la haute couture. Le petit prince n'a-t-il pas lui-même décrété que « la vieille dame était moribonde » et qu'il ne pleurerait pas à ses funérailles ? Gaultier retient l'avis de décès. Le luxe n'a plus la cote. Pinochet met le Chili à sa botte, la crise du pétrole et la guerre de Kippour inquiètent l'opinion. En plein Watergate, Nixon annonce sa démission : les valeurs traditionnelles, mises à mal par le *flower power* et le baba-coolisme triomphant s'émiettent. En France, on a des ressources. La journaliste Françoise Giroud est nommée secrétaire d'Etat à la condition féminine. L'adultère et l'avortement – via la loi Veil – ne tombent plus sous le coup de la loi. La colonne vertébrale du giscardisme ploie sous la scoliose libertaire. Saint Laurent, expert en frémissements, résume l'affaire en une formule décisive : « La société, dit-il, s'est divisée en plusieurs parcelles. Et chacune a sa mode. » Jamais l'époque n'a été aussi foisonnante, kaléidoscopique et contradictoire.

D'un côté, le disco-club. Il est majoritaire : Gloria Gaynor, Cerrone, Donna Summer, Boney M, Earth, Wind and Fire ont fédéré des bataillons de minets col pelle à tarte, pantalon satin fuchsia et bottines à talons, et des grappes de filles en minijupes lamées et collants fluo arpentant le bitume. Le disco étincelle. Glam, glitter, pailleté. En France on recense trois mille cinq cents boîtes de nuit et tout autant de boules à facettes. Leur chef de file affiche un médaillon pré-bling-bling sur torse velu et un QI de méduse. Brushing permanenté, blouson taille 8 ans, sexe moulé, il enchaîne des sauts de chat samplés par les Bee Gees. Ce patineur artistique sur parquet ciré s'appelle John Travolta. Il est clean, promeut l'hygiénisme et le Canada Dry. Il possède un ennemi génétique, héréditaire. C'est un *working class hero* issu du sous-prolétariat irlandais. Johnny Rotten a la rage, le cheveu gras, violet et rare et une épingle à nourrice plantée sur son tee-shirt déchiré. Les Sex Pistols vomissent les générations antérieures, la société de consommation et la reine Elizabeth II. Au *no future* proche, Rotten oppose un présent extatique, violemment sexuel et rimbaldien, des nourritures terrestres essentiellement composées de hot-dogs, de Guinness frappée et d'héroïne. A la limite, la collection Opium d'YSL lui va. Il est trash et exalte l'autodestruction immédiate. Deux visions du monde et deux looks antagonistes s'affrontent via John Travolta « tout beau, tout propre » et Johnny Rotten « tout moche, tout pourri ».

Dans un premier temps, Gaultier adoube la punkitude. L'abondance de cuir, de pantalons zippés, de noir hégémonique qu'il propose alors exprime son intérêt pour la mouvance hard-rock des faubourgs de Londres. Son labo, sa Nasa personnelle, c'est la rue où il passe son temps à observer des silhouettes foutraques. Choquant l'arrière-garde couture, il affirme déjà : « Les gens qui s'habillent mal, qui accumulent les erreurs de goût, sont ceux qui m'intéressent le plus. » Il ne s'agit pas d'une provocation mais d'un manifeste. Il est là pour réorganiser l'à-peu-près, pour idéaliser le n'importe-quoi, pour transcender les nouvelles vagues. En 1985, il osera même baptiser sa collection « Trois fois rien par un bon à rien ». Il zoome sur la jeunesse, sa mode ne s'adressera pas aux femmes, mais aux nouvelles rebelles. C'est une rupture générationnelle qui ne va pas de soi. Les conformistes, les BCBG lui tournent immédiatement le dos. « Importable », « caricatural », « expérimental », entend-on fréquemment à son sujet. Au tout début, l'Amérique n'adhère pas. Au *Vogue* US, Grace Mirabella ne comprend rien à ces collages surréalistes et enfantins. Irène Silvagni, correspondante en Europe, s'acharne et convainc Polly Mellen, rédactrice en chef, de suivre de près le trublion. Peu de temps après, Irène lui décroche la une. Sur cette couverture historique de *Vogue*, Estelle Lefébure incarne la nouvelle Parisienne éclatante, un pantalon large, une veste marine à l'épaule dénudée, un drapé rayé superposé et un turban de touareg sur sa chevelure blonde. L'image est si forte, si insolemment chic que Chanel la copiera.

Il y a donc eu des militants JPG, des colleurs d'affiche prêts à servir sa cause et à promouvoir son style. « Jean-Paul Gaultier n'a pas de pétrole mais il a des idées. » Et il a ses relais, ses petits intercesseurs, ses Hermès pragmatiques, qui utilisent la caisse de résonance de la presse pour médiatiser l'agitateur. Irène appartient au premier cercle des aficionados : « En ce temps-là, Azzedine Alaïa dessinait de nouvelles sirènes, avec des formes très tracées, c'était un lutin. Jean-Paul, lui, faisait figure de sale gosse. Il dérangeait comme l'élève qui casse tout dans la classe. Il procédait par ruptures. Il bousculait les codes comme tous ceux qui ont vraiment fait avancer la mode : Saint Laurent et Chanel l'ont fait aussi. Quand on est dans le consensuel et le bourgeois, on stagne. Il y avait chez lui une forme de gaieté très iconoclaste. Et s'il n'avait de respect pour rien, il en avait beaucoup pour la mode. »

Sauf qu'à l'époque, cela ne se sent pas. On retient surtout l'effet tsunami, les fantasmes de femmes ultrasexuées, l'humour et l'impertinence. Baptiser un défilé « Barbès-Rochechouart », déclarer à qui veut l'entendre : « J'ai des goûts de concierge », s'offrir La Villette et y faire entrer deux mille personnes, tout cela lui vaut la sanction politiquement incorrecte. « Mais, poursuit Irène, on sortait de ses défilés dans une humeur de rêve. Tout était fait pour la jubilation. On sentait qu'il était profondément français dans son inspiration et qu'il cultivait l'univers de son enfance, un côté bonbon Krema et Mistral gagnant. » A *Elle*, la journaliste Nicole Crassat a un faible pour ce garnement qui s'attaque à des univers codés – la marine, l'armée – en les désorganisant : « Bien, sûr, dit-elle, il utilisait des uniformes chinés aux Puces qu'il récupérait en leur donnant une fantaisie inouïe, mais dès le début, j'ai vu chez lui, comme en creux, une vraie rigueur et une attitude classique. » Admiration réciproque : Jean-Paul adore le stylisme de Nicole qui expose, dans les pages de *Elle*, d'audacieux patchworks, des salopettes en jean avec des bijoux en strass portées par de superbes girls juchées sur des stilettos.

Jeune préféré des modeux, c'est un métier, ça, ou un CDD ? Sa situation est critique, presque acrobatique. Quatre défilés, un excellent buzz, une presse aux aguets et une cohorte de groupies. Mais il manque toujours le nerf de la guerre : l'argent. Il arrive, le voilà. Une femme influente et charismatique, Dominique Emschwiller, dirige le centre névralgique de la mode parisienne. Dans les années soixante-dix, c'est à la boutique Bus Stop, boulevard Saint-Germain, qu'il faut être vu. En 1975, l'enseigne se japonise et devient Kashiyama, ajoutant l'exotisme du Soleil levant à la toile de fond londonienne. Dominique, secondée par le directeur Yoshio Nakamoto, recrute la crème du pointu. Sa vitrine fait et défait les tendances. Jean-Paul débarque chez elle avec cette désinvolture et ce sourire banane auquel personne ne résiste. Son book est maigre – deux ou trois articles – mais Dominique est emballée par la personnalité solaire du créateur. Le feu vert tant attendu par le trio est enfin donné. Le Japon financera les idées, l'équipe parisienne s'occupera des épineux problèmes d'achat de tissu et de fabrication. Hourra ! La griffe JPG voit vraiment le jour en 1978, Kashiyama est mécène dans l'affaire et Dominique intègre le poste de directrice commerciale.

Francis et JP sont amoureux de la vie, amoureux tout court. Côté Menuge, on ignore que ces deux inséparables associés forment un vrai couple. Côté Gaultier, on est au courant et on ne désapprouve pas, tolérance et valeurs d'ouverture obligent. Les beaux-parents se fréquentent, dînent ensemble, les uns savent, les autres pas. On est chez Feydeau : « Un jour, la mère de Francis qui est une femme exubérante, d'origine italienne, a enfin compris qu'on était ensemble. Elle nous a fait le monologue de Phèdre, raconte Jean-Paul. J'en tremble encore ! » Le zélé Donald, un peu jaloux des deux tourtereaux, garde sa place dans le trio et endosse, en Zelig amical, plusieurs casquettes, pour la bonne cause. Au début, il donne un coup de main pour la scénographie et la régie des premiers défilés. Il n'a jamais envisagé de travailler dans la mode. Ses études de théâtrologie, sa maîtrise sur *La Flûte enchantée* lui permettent de décrocher des stages d'assistant metteur en scène avec Karl Boehm pour son dernier spectacle à l'opéra. Mais l'amitié redessine l'avenir. Exit Mozart et Puccini, Potard règne désormais sur le plus turbulent bureau de presse de la capitale avant de devenir directeur général de la maison en 1983. *Public relation* inné, il obtient des papiers à la vitesse de l'éclair. C'est un capteur d'opinions. Sur la photo de classe, cette année-là, il porte un pantalon bouffant et un pull noir rebrodé de perles verticales. Frédérique Lorca, la muse, l'amie, éclate alors de rire, lunettes papillon sur nez aquilin. Au centre, hilare, Jean-Paul exhibe sa nouvelle coupe en brosse et les cheveux platine qu'il vient de décolorer pour l'occasion. Il porte un costume rayé XL à épaules Cary Grant. Derrière lui se dresse la brune Dominique, élégante et maternelle, bras dessus, bras dessous avec un grand gaillard entré dans la bande comme assistant. Il s'appelle Martin Margiela. Aujourd'hui, sa griffe pointue est reconnue dans le monde entier mais il n'existe quasiment plus de photos de Martin qui a décidé de disparaître, de se soustraire à la médiatisation, de devenir « no logo ». Il s'agit donc d'un cliché très rare. On y décèle la pulsation et l'énergie d'une petite tribu qui a décidé de s'imposer dans un monde de vieux, de dépoussiérer, de secouer, d'agiter les idées. Une maison de mode qui déambule dans les rues de Paris, composée d'une dizaine de copains pour une photo officielle, façon « nouvelle vague », ça non plus, on n'avait jamais vu…

Punk art et cool memories

> « Il faut s'aimer suffisamment pour ne pas être obsédé par soi-même. »
>
> Arielle DOMBASLE

Il va donc falloir s'y faire. Les années quatre-vingt seront siglées Gaultier ou ne seront pas. Retranché dans sa splendide tour d'ivoire de la rue de Babylone, Yves Saint Laurent, nouveau Swann, trahi par ce Tout-Paris qui l'a fait roi, observe la décomposition des mœurs. La rue, il la trouve « monstrueusement sale », avec ces piétons punk, ces anges noirs de l'apocalypse. Andy Warhol, icône titubante de la Factory, star de l'underground, ne supporte pas non plus ces *dirty boys*. En conséquence, Yves diagnostique, vingt ans après avoir été sacré, le déclin de son propre règne. Le ton est amer, presque acariâtre : « Devant l'effrayante vision de cette femme déformée, caricaturale, ce pantin de carnaval, ce ramassis de vieux vêtements des dernières décennies, ce parti pris systématique de laideur et de ridicule que le prêt-à-porter ont fait surgir, je me sens complètement étranger. Je ne dessine pas des robes pour des vamps ou pour des filles de mauvaise vie. Je veux une mode séduisante et non plus provocante [1]. » Et si le petit prince se trompait ? Lui qui, le premier, s'est emparé en précurseur du vestiaire masculin pour en revisiter chaque standard avant de les transférer dans la garde-robe féminine. Le pull, le tee-shirt, le trench, l'imper et la saharienne, le short ont défilé sous la bannière Rive Gauche, sur des lianes qu'on disait de plus en plus maigres, de plus en plus androgynes, vestales aux hanches étroites, aux poitrines comprimées. Ses filles en smoking ont essaimé dans les soirées mondaines de Milan à New York. Propulser ses perles noires – Mounia, Amalia, Mercédès l'Argentine flamboyante et Kirat l'affolante Indienne – dans un métier où la blonde et blanche *cover girl* règne en ayatollah des podiums, ce n'était pas de la provocation, c'était pire : une petite bombe sociale, une révolution de taffetas.

Yves Saint Laurent ne peut pas ne pas comprendre ce qui s'amorce. Ses propos bougons ont un côté Guermantes. Dans ses phases dépressives, il se retire d'ailleurs à Deauville dans cette demeure aux neuf pièces qu'il a dédiée aux personnages de la *Recherche*. A-t-il oublié que Chanel, en personne, lui a officiellement passé le relais en 1968, année symbolique ? Lors de l'émission « Dim Dam Dom », l'acide Auvergnate l'a désigné comme son héritier puisque, a-t-elle ajouté en détachant les dentales : « Il faudra bien qu'un jour quelqu'un me continue. » Trois ans plus tard, le remuant disciple de Coco pose nu comme un ver sous l'objectif

1. Extrait de *Yves Saint Laurent* de Laurence Benaïm (Editions Grasset, 2002).

de Jeanloup Sieff, habillé de ses seules lunettes rectangles. C'est une campagne en noir et blanc pour sa première eau de toilette pour hommes. Le slogan publicitaire, d'une ironie cinglante, proclame : « Je suis prêt à tout pour me vendre. » Et c'est ce scandaleux, ce visionnaire, ce punk christique qui stigmatise la provocation ! La vérité est ailleurs. Dans une problématique de la déception.

Car Saint Laurent se sent déjà dépassé, détrôné par un fils spirituel qu'il n'a pas choisi. Lui aussi est un as de la récup, un pionnier, mais ils ont vingt ans d'écart. Et tout les oppose, le bourgeois d'Oran et le fils de comptable d'Arcueil. Leur culture, littéraire et picturale chez Yves, télégénique et populaire pour Jean-Paul, et leur formation, l'école Dior face au campus Cardin. Avenue Montaigne, on pose un genou à terre devant un drapé d'organdis, rue de Marigny, « on apprend, comme dit Jean-Paul, à fabriquer un chapeau avec une chaise ». Et pourtant, ces deux-là ont un je-ne-sais-quoi de proche, une structure analogique, un échantillon d'ADN identique, et une muse commune, Anna Pavlovski. Avenue Marceau, elle circule en petite culotte, c'est incongru. Sur le podium, elle affiche un rictus mélancolique, refusant ostensiblement de sourire, c'est inquiétant. La copine aux pommettes saillantes rencontrée chez Patou a d'ailleurs été poussée par Jean-Paul chez Saint Laurent.

Contre toute attente, cette version slave de Louise Brooks, teint cireux, lèvres carmin, cette fumeuse de petits cigares, se déhanchant la nuit dans les boîtes de Montreuil, séduit le grand puriste de la coupe. Il la transforme en tsarine, l'enveloppe de somptueux cafetans et de manteaux à brandebourgs. Lorsqu'Anna quittera l'enfant prodige pour rallier l'enfant terrible, elle aura ce mot superbe : « J'ai retrouvé un peu d'YSL chez JPG, sauf que Jean-Paul aime rire et sortir tandis qu'Yves pleure à travers ses robes. » Or, les hommes en larmes du début du siècle ont déserté la scène. Exit le Pierrot lunaire et mélancolique de Picasso, les Œdipe sanglants de Cocteau, les bals tragiques de Diaghilev, ces pépites picaresques dont Saint Laurent faisait son miel. Les élégances mondaines, graphiques et diaprées tirent leur révérence. Il ne s'agit plus de pleurer, en majesté, il faut célébrer le rire sous toutes ses formes. Le curseur déplace les valeurs de l'époque, exige un nouveau lexique.

Dans les années quatre-vingt, on ne s'habille plus, on se « sape », activité festive, nouveau dada d'une faune dont la caractéristique consiste à vivre la nuit. Pour imiter le Studio 54, repère branché des people new-yorkais, Fabrice Emaer ouvre le Palace. Mick et Bianca Jagger, Andy Warhol, Paloma Picasso, Jack Nicholson, Warren Beatty, Liza Minelli transitent en jet-lag de Manhattan à Paris. Cet ancien théâtre devient *the place to be* où une physionomiste baraquée nommée Edwige recale impitoyablement les allures datées. A la porte du Palace, des centaines de candidats au « bon look » espèrent leur diplôme, se font refouler, reviennent le lendemain soir, même heure, chaussés de baskets pailletées dans l'espoir de plaire à l'herculéenne blonde saphique qui décidera de leur accorder ou non un passeport pour l'extase. Sur ses flyers, Fabrice, bon bougre, suggère un dress-code cool. Etre cool en 1980 suppose tout un programme existentiel. Ce maigre monosyllabe recèle une quantité inimaginable de vertus. C'est un mot-valise tout gonflé d'espoir, un idéal du « moi », un manifeste narcissique aux multiples diktats. Bien souvent la valise est impossible à fermer et elle déborde. Précisons d'emblée ce que le cool n'est pas, pour comprendre *a contrario* ce qu'il aspire à devenir. Il ne doit jamais se montrer lourd, encombré de savoir, lié à une généalogie, pénétré de traditions, dépositaire du passé, gardien d'anciennes valeurs. L'individu cool, au contraire, s'imprègne de la légèreté des choses, voue un culte à l'instant présent, dépose les armes aux pieds de la modernité, s'intéresse aux paradis artificiels, aux mocassins Repetto et à Roxy Music.

S'il est un garçon, il roule en mobylette sans casque, un joint à la bouche, porte un *fly jacket* et des Ray-Ban quelle que soit la météo et retrouve ses copains à l'entrée du Palace. Son modèle se situe à mi-chemin entre Etienne Daho et Serge Gainsbourg, binôme mimétique. Si c'est une fille, elle est coiffée en hérisson comme Blondie, porte des robes courtes ultramoulantes en satin fluo et des escarpins à talons bobine (ils avaient disparu depuis les années cinquante et font un come-back renversant). Ses références ? Patti Smith ou Marianne Faithfull, en plus glam ; la coolette se doit d'être marrante contrairement à ces deux égéries, puissantes mais dépressives. Il est bien entendu que la personne cool, mâle ou femelle, se met au lit sans plus d'histoire deux heures après avoir rencontré son alter ego, qu'il ou elle ne se « prend pas la tête » à l'annonce d'une rupture, qu'elle ne connaît ni la déception, ni le sommeil. L'humanité cool est souriante, fêtarde, insouciante, noctambule et stoïque. Le pois chiche qui lui tient lieu de cerveau n'entrave pas sa démarche d'albatros pailleté. Elle se nourrit de bière, de cacahuètes et d'afghane non trafiquée, ne souscrit ni au contrat nuptial, ni à la vie de famille car l'avenir lui paraît un concept vaseux inventé par des vieux pour des vieux. Le cool, même à soixante ans passés, se sent éternellement jeune. La preuve ? Jean Baudrillard, pop-sociologue, lui consacre sur le tard un essai paradoxal baptisé *Cool Memories* et Roland Barthes tentera, sa vie durant, d'obtenir une carte de *visiting member.* L'auteur de *Mythologies* avait beau réunir des théories de fans tétanisés écoutant fiévreusement ses conférences au Collège de France, il n'aurait pour rien au monde manqué une fête « blanche » ou un concert des B52's au Palace. Fabrice avait décidément bien fait les choses. Son cabaret-discothèque-dortoir-fumoir était ouvert à tous. Un œcuménisme générationnel et esthétique, une tolérance hippie chic, un esprit d'intégration très pré-« pote » correspondant par ailleurs à des impératifs commerciaux astucieux (des records d'entrées, un millier de personnes, étaient battus chaque soir), faisaient du Palace un melting-pot interlope, un souk de luxe, où se côtoyaient au son d'une programmation disco-punk vieux et jeunes, comtesses et marlous, drag-queens et cocottes, VIP et VRP, gays et hétéros, dandies et starlettes, nouveaux pirates ultra-lookés. C'était là et nulle part ailleurs.

Sur le premier carton du Palace, Emaer, coolissime, suggère de se vêtir « en smoking, en robe longue ou comme il vous conviendra ». L'astucieux Monsieur Loyal des eighties saisit d'instinct l'émergence du multilook qui va de pair avec un décloisonnement social, une sorte d'atomisation des esprits et d'effervescence des corps. La jet-set pratique le pluriculturalisme et la mixité ethnique. L'aristo-clan ne filtre plus par la particule mais par le talent. C'est un phénomène inédit, validé par Diane de Furstenberg, sémillante géomètre de la *wrap dress*, cette robe-portefeuille pratique et sensuelle que les femmes activent s'arrachent : « Ce qui comptait soudain, exprime cette grande ordonnatrice de raouts, c'était le mélange. Dans une soirée *high society* on devait trouver des artistes, des journalistes, des acteurs et des gens qu'on aime pour ce qu'ils sont et pour ce qu'ils font. » Loulou de la Falaise applique le 23 mars 1978 ce nouveau commandement mondain. Avec son époux, le peintre Thadée Klossowski, ils donnent au Palace un bal costumé tendance et décadent dont l'intitulé ouvre toutes les portes au délire. Dans ce chaotique « Ange, démons et merveilles » s'engouffrent Karl Lagerfeld en Merlin l'Enchanteur et Jean-Charles de Castelbajac en comte Dracula. Et bien sûr Loulou en chérubin ailé.

Jean-Paul, lui, a-t-il une vie nocturne affichée, débridée ? Fait-il la fête un peu, beaucoup, pas du tout, le portraitiste de l'époque ? Sur le sujet, les témoignages divergent. Lui, catégorique : « Mais avec Francis, on ne sortait jamais, on n'avait pas le temps, on travaillait tout le temps ! » La blonde Frédérique Lorca fait alors partie des « rigolotes pêchues et jolies » du Paris branché. Avec Farida Khelfa, Bambou et la petite Fred, elles forment une petite bande adulée des noctambules. Le salon de coiffure de son père rassemble les people du moment. Elle fait lettres à la Sorbonne le jour et Palace la nuit. Chanel la débauche pour un job de mannequin cabine :

« Dans ces années-là, tout était look. On dévalisait les Puces et les stands vintage. On se téléphonait entre copines : “Qu’est-ce que tu mets ce soir ? Comment tu te sapes ?” Au Palace, Emaer avait réussi à créer une ambiance délirante, à rassembler tous les talents de l’époque. On y trouvait Lagerfeld, Edwige, Mugler, Montana et des gens de tous les jours au coude à coude sur le dance-floor ! Nous, on se moquait des people. Emaer nous laissait entrer gratuitement parce qu’avec Farida et deux autres filles marrantes, on créait le buzz. C’était un brassage incroyable, il n’y avait pas de carré VIP, une absence de ghetto qui ravissait les stars. Un soir, Jean-Paul vient me voir. Il était avec son ami Francis. Jamais je n’aurais pu croire à l’époque qu’ils étaient créateurs de mode. J’avais l’impression de rencontrer deux étudiants très mignons, pas du tout des agités pointus. La vedette de la mode, c’était Thierry Mugler. Lui, il n’avait pas encore trouvé son look. »

Si le travail se fait en soute, en sourdine et incognito, la promotion de la mode a bien lieu tous les soirs au Palace. Jean-Paul s’y montre donc, mais sans affectation : « Il y avait une invitation permanente aux transgressions, poursuit Frédérique. Un nombre incroyable de jeunes gens plongeaient dans la toxicomanie. Sex, drug and rock’n roll, ce n’était pas une formule. Jean-Paul n’aurait jamais sombré là-dedans. Faire des conneries, il aurait pu mais il n’a jamais voulu, son côté raisonnable primait. D’abord il y avait Francis, son garde-fou dans le couple. Ils formaient un duo formidable. Et puis, il n’était pas un vrai fêtard. Je ne l’ai jamais considéré comme un être insouciant ou exubérant et il bossait déjà comme un fou. » Comme Frédérique, Bambou, Farida et

Edwige, Jean-Paul n'a qu'un ennemi, le baba. Avec lui, il ne partage rien, excepté son pantalon. Comment faire autrement ? Le jean est devenu hégémonique, bisexuel, portable du matin au soir, hiver comme été, par toutes les classes sociales. 500 millions de paires s'en sont vendues en 1973 et l'entreprise Levi-Strauss est milliardaire. Tout le monde le façonne, même Yves Saint Laurent. La radicalité antibaba n'exclut pas non plus une certaine affection pour le *casual*, cette vogue sportswear chic importée d'Amérique. Annie Hall, silhouette androgyne, dandy-trendy, devient avec Diane Keaton vêtue par Ralph Lauren, une icône de l'élégance côte Est. Gaultier ne néglige rien. Comme tous les artistes hypermimétiques, il intègre à sa banque de données les bretelles, le costume XL et le béret de l'égérie de Woody Allen. La mode est un patchwork, il s'agit de broder, patcher, piquer, surpiquer. A ce jeu-là, Frédérique observe Jean-Paul qu'elle trouve imbattable : « Il faut sélectionner, imprimer, trier, capter des choses vues. Jean-Paul a su adapter, mélanger et produire un résultat jubilatoire et étonnant. C'est un visionnaire d'une incroyable exigence. Alors la punk attitude qu'il adorait à cette époque, c'était surtout du lâcher-prise, une *wild thing* dans la ville. Ce qui est amusant, c'est qu'il était tout le contraire de cela. »

Tout le contraire : un bébé clean, élevé au lait, aux protéines et à la Blédine. Un baby-boomer tout beau tout propre. Un puissant instinct de conservation le protège des dérives de cette décennie qui va hisser très haut la toxicomanie, le partage des risques, la déglingue et l'autodestruction. Il ne boit pas, ne fume pas, rentre tôt quand il sort le soir. Il est bien élevé. Observateur aigu du monde de la nuit, fasciné par la marge, il sait se poster aux limites, ne pas franchir la ligne jaune de la débauche. Il admire la transgression, s'en inspire dans ses croquis mais Arcueil, Mémé Garrabé et ses copains d'enfance sont là pour le retenir. Il ne flanche ni ne bascule dans le camp des noceurs. Chaque week-end, il part pour Londres. En entomologiste de la marge, il range ensuite ces insectes de Carnaby Street dans ses herbiers, désosse les punks, fait décanter l'essence des drag-queens dans ses archives personnelles. Les épingles à nourrice, les blousons de cuir, les Doc Martens et les coiffures hirsutes iroquoises produisent sur lui un effet visuel dopant. Les concerts des Clash et des Sex Pistols complètent son apprentissage du *no future* cathartique hurlé par une jeunesse désespérée. Mais Jean-Paul acquiert déjà cette distance quasi brechtienne qui lui tient lieu de méthode. Il assimile sans adhérer. Ce qu'il retranscrit dans ses croquis n'est pas un copier-coller. C'est une re-création ludique ou parodique. Revisités par lui, ces *dirty boys* deviennent enfantins, délivrés du spleen morbide des originaux. L'orthodoxie, il s'en moque. Il leur emprunte les zips, le cuir, les tee-shirts déchirés mais la superposition de ces éléments fondamentaux débouche sur une réécriture euphorique très éloignée du script embryonnaire. Lorsqu'il analyse le mouvement punk, il en offre d'ailleurs cette astucieuse définition : « C'était la dernière vague Dada complètement prolétaire. »

Si peu punk, à peine cool, Jean-Paul, malin, marrant, chronique les mœurs d'une jeunesse saturée de nouveaux diktats dont il s'amuse. Sorte de Groucho Marx en embuscade, il est dedans-dehors, dans une posture ambivalente. Le rire est son armure. Son charme inné, mélange piquant de spontanéité banlieusarde et d'ironie bienveillante, lui assure un succès immédiat. Très vite il devient la coqueluche des rédactrices de mode, obtenant du même coup un passeport décisif pour la médiatisation ce qui, dans les années quatre-vingt, correspond au sésame suprême. Par chance, son second degré passe la rampe. Ceux dont ils se moquent, les fashionable chichiteux, les petits marquis et les groupies branchées, ne saisissent pas ses piques. Miroir d'une époque ultra-narcissique dont il stigmatise les excès, Gaultier brouille les pistes. On ne sait jamais exactement qui il épingle et ses thuriféraires, journalistes exaltées, parasites emphatiques, arbitres des élégances usurpées, ne se doutent pas qu'ils sont pris pour cibles. Tous entrent à leur insu dans un gigantesque *comics*, un *Hara-Kiri* débraillé dont les rieurs raillés admirent le graphisme.

A gauche toute

« L'extrême des passions est niais à noter. »

STENDHAL

La mode entre au Louvre. La nuit du 10 mai 1981, Paris est en liesse. Le lendemain, la France se réveille à gauche sans gueule de bois. Le mitterrandisme entérine en les accélérant les mouvements de mode disparates d'une société en pleine mutation. Ceux qui traînent des pieds sont taxés de ringards. Il importe de devenir polyglotte : la publicité est un langage, les graffitis véhiculent un discours, le design diffuse une parole. De nouvelles gazettes surgissent. A *Globe*, plate-forme du nouveau pouvoir, arbitre des tendances *in* et *out*, les journalistes s'amusent à dresser des listes. Ce monde rose se meuble et s'habille en noir. Les bureaux monolithes d'Andrée Putman, les chaises aérodynamiques de Stark, les clips de Jean-Paul Goude et Mondino imposent une signalétique anthracite, une plastique géométrique lisse et vernie, un habitat et un vestiaire domino à ces années festives.

Les Mitsouko, Lio, Daho, litanie de chanteurs en « o », catapultent de clip en clip leurs looks graphiques et ironiques. Dans ce paysage à la Hopper, le ministre de la Culture fait clignoter ses cols Mao, ses chemises fuchsia et ses vestes signées Mugler. Sous sa pimpante ambassade, les créateurs obtiennent des lettres de noblesse. Dans la foulée, Jack Lang décore tous les sans-grade : bédé, graphisme, photo, rock, il n'y a plus d'art mineur, place à la culture vivante, formule inédite qui naît cette année-là et dont le règne perdure aujourd'hui encore. La fête de la musique permet de rejouer chaque année la scène primitive de la longue nuit du 10 mai. Entre 1981 et 1982, le budget de son ministère passe de 3 à 6 milliards de francs. Tout est fête, tout est communication. On se parle dans les rues, on reprend la Sorbonne en rêve. Les radios libres, Nova en tête, réintroduisent le dialogue communautaire, la logorrhée libertaire et cathartique de Mai 68. Mais attention : le rétro est *out*, la nostalgie risible, il ne s'agit pas de rendre hommage au passé récent. Maxime Leforestier est placardisé et c'est Renaud, Gavroche à bandana rouge, qui orchestre la bande-son du nouveau gouvernement. C'est bien simple, tout doit faire neuf : la néo-société, la nouvelle droite, les nouveaux philosophes, la nouvelle cuisine. La vie est un cadeau, surgissant dans un rêve de papier de soie. Cristo emballe le Pont-Neuf. Les classiques n'ont pas la cote, la tradition fond. Les Japonais déferlent, déconstruisant les formes, pulvérisant les matières. Tout n'est que satin troué, laine bouillie, cachemire froissé, délavé, déchiré. C'est le moment rêvé pour faire entrer les créateurs au musée. Et pas n'importe lequel : le Louvre est adopté. Pierre

Bergé, fiancé et homme d'affaires de Saint Laurent, demande à Jack Lang la Cour carrée. Dès 1982, le prêt-à-porter défile en majesté.

En ce début de décennie, Jean-Paul a déjà cinq ans d'histoire ! Au trio de talents complémentaires que forment Gaultier le créatif, Menuge l'homme d'affaires et Potard le communicant s'ajoute désormais Dominique Emschwiller, l'élément féminin décisif et maternant qui a finalisé le montage financier. Des collections expérimentales, un collectif de groupies déterminées et un excellent buzz : les choses n'ont pas traîné. Les créateurs-phares du moment s'appellent Anne-Marie Beretta, Dorothée Bis, Poppy Moreni, Chantal Thomass, Claude Montana, Thierry Mugler, Elisabeth de Senneville. Côté nippon, brillent Kenzo, Issey Miyake, Comme des Garçons, Yamamoto, les maîtres de l'asymétrie. La presse zoome sur leurs trouvailles qui rappellent l'esthétisme épuré des films d'Ozu. Ces samouraïs de la coupe bluffent le Tout-Paris. Les Japonais bannissent tout exotisme, réaniment la rigueur du tombé, importent des formes géométriques inédites, des matières brutes, des couleurs crépusculaires où frissonne un camélia sur la mousse. Jean-Paul les admire et le dit à *Libération* : « Quand les Japonais sont arrivés à Paris, je me suis senti proche d'eux sur certaines positions fondamentales. A la base, mes vêtements sont toujours simples. C'est ma façon de les présenter, de jouer avec, qui peut paraître bizarre ou provocante. J'ai une ligne de conduite qui peut sembler moins rigoureuse ou construite que celle de Yamamoto. Mon ouverture tous azimuts peut même donner l'impression d'un mélange hétéroclite. Mais quand on regarde calmement ce que je fais, ça donne des bases similaires à celles de Yamamoto, finalement des silhouettes classiques... Disons que nous avons deux manières cousines de donner les mêmes coups de pied dans les concepts répétitifs et ronronnants, dans ces clichés que nous avions hérité des années cinquante. »

Yohji qui, selon Gérard Lefort, a inventé « une manière gaie d'être triste », examine les couleurs chatoyantes, le dépenaillé de luxe de son confrère parigot. Curieusement, il y décèle des analogies avec l'épure tokyoïte. « Dans ses premières collections, note-t-il, ce qui m'a d'abord intrigué – donc intéressé – compte tenu de ma propre austérité, c'est sa légèreté, comme s'il travaillait en se moquant. » Or, la moquerie, la dérision, la parodie et le second degré ont la cote. Les experts sont d'accord pour faire imploser la chape de plomb de la couture-bien-sous-tous-rapports. Les chroniqueurs s'en donnent à cœur joie. Jamais on ne les avait autant fait sourire, rire, régalé de mises en scène sur le podium, de déco et de sono rien que pour leurs yeux. Par une connivence festive, le commentaire de mode se synchronise à la fantaisie des créateurs. Le spectacle hautement délirant suscite des comptes rendus fantasques. C'est une surenchère inventive. A l'atelier, on s'amuse. Dans les colonnes des quotidiens, on se pique de mots. Une prose drolatique, impertinente voit le jour. Barthes n'avait pas anticipé, dans les années soixante, cette libération rhétorique. Pour lui, le discours de la mode, englué dans des contraintes académiques, figé par des impératifs commerciaux ne pourrait pas échapper à sa condition de message codé. Il aura fallu que les créateurs, débridant leurs propres productions, initient eux-mêmes un langage adapté aux objets ludiques qu'ils offraient à juger. Il y a plus : en jetant sur son podium des créatures ordinaires, passants et passantes de la rue, Gaultier, en pionnier, suscite une identification massive chez les rédactrices. Tout le monde peut défiler (Même les petites grosses ? Même les petites grosses, répond-il), se dit-on, hypothèse libératrice, décomplexante qui va lui attirer la sympathie de celles qui décrivent habituellement des physiques parfaits. A *Libération*, on se lâche en inventoriant les créateurs humoristes qui font la mode. Elisabeth de Senneville : « Plus que jamais assistée par ordinateur, elle offre des imprimés cathodiques et du lurex collant. » Anne-Marie Beretta : « La parka en cuir d'autruche pour un grand coup de frime dans la taïga. » Jean-Charles de Castelbajac : « Pour faire un malheur au Casino de Trouville, sautez à pieds joints dans la robe sac à café rapiécée à gros points de suture ceinturée d'un pagne en raphia et lancez-vous dans un tamouré grattouillant. » Karl Lagerfeld : « Des blouses immaculées parfaites pour un flingage à Mayerling, une Sissi tout cuir. » Au *Matin*, Douce Le Tellier ironise : « Kansai nous sert des dragons à tous les repas, Montana poursuit sans relâche son opérette du Châtelet, Chantal Thomass nous fait le coup de la maîtresse en maillot de bain et de l'infirmière en porte-jarretelles... » Tous vedettes : journalistes, hommes et femmes de mode. C'est la « poésie couturière » exécrée par la Grande Mademoiselle qui n'y voyait que débauche et simulacre. Sous Jean-Paul, la croisière s'amuse, la dérision gagne du terrain et la chronique de mode, passe-temps déprécié, jugé fumeux par les rédacteurs en chef, devient *the place to be* dans la presse écrite.

Jean-Paul Gaultier, punk sentimental

Assis derrière ses tréteaux, dans un vaste bureau donnant sur l'église Saint-Eustache, protégé par l'ange gardien chérubin, emblème de sa griffe, tagué au feutre sur sa fenêtre, Jean-Charles de Castelbajac, quinqua juvénile, se souvient des années quatre-vingt : « On était cinq ou six à créer le buzz, pas plus : Claude Montana, ancien danseur des ballets de Strasbourg, Issey Miyake, Anne-Marie Beretta et moi. Dans ce groupe, Jean-Paul n'était pas encore apparu. Le principe du défilé-spectacle commençait à se mettre en place. Il y avait donc toute une scénographie, une dimension spectaculaire de notre travail qui faisait de nous des personnages à part. Kenzo théâtralisait beaucoup ainsi que Dorothée Bis et Chantal Thomass. Le groupe "Créateurs industriels" qui nous réunissait mettait en avant notre travail. C'est ainsi que je me suis retrouvé à montrer une collection sur le toit d'un parking dans une bulle gonflable. » Jean-Paul traîne alors ses guêtres dans les coulisses de l'avant-garde et cette équipe l'attire. « Il n'existait pas encore, poursuit Castelbajac. La première fois que j'ai entendu parler de lui, c'était pour ses boîtes de conserve-bracelets, puis pour ses marinières. Ce qui m'a touché tout de suite, comme une sorte de filiation, c'est ce détournement du quotidien, cette sacralisation des choses humbles et pauvres, cette dimension "réale" des instants de la vie. Moi, je pratiquais déjà cela depuis pas mal de temps. J'utilisais des bandes Velpeau, des vieilles couvertures. J'avais donc tout un répertoire de ce type. Mais chez Jean-Paul, on observait une vraie fraîcheur, une vision très personnelle. A Londres, chez Vivienne Westwood qui transférait des os de poulet sur des tee-shirts, qui poursuivait un travail presque situationniste, je trouvais un écho, une fraternité. Mais chez Jean-Paul, je ne sentais pas de dimension politique, plutôt une fibre sociologique et humaine. Ce que j'aimais surtout, c'est qu'il magnifiait une France dont on s'occupe rarement. Une France simple, ouvrière, que je situerais du côté du Gabin, de *Quai des brumes* et de *La Bête humaine*. Cette esthétique avait été déjà abordée par Yves Saint Laurent mais de manière aristocratique. Lui nous a tout de suite parlé d'une Parisienne, extrêmement populaire, qu'il a sacralisée. »

La meilleure façon de marcher

« Travailler m'amuse terriblement. »

Jean-Paul SARTRE

Sa Parisienne désargentée est célébrée dans les défilés intitulés « Barbès » ou « La Parigote ». Son côté poulbot bavard se manifeste dans « La concierge est dans l'escalier ». L'élégance, côté peuple, est une première signée Gaultier. Le 10 mai 1981, les créateurs vedettes ne sont pas en France mais au Brésil pour une soirée qui réunit Enrico Coveri, Jean-Charles de Castelbajac, Thierry Mugler et Jean-Paul Gaultier. Les résultats des élections sont retransmis à la télévision brésilienne. Vu de leur hôtel à Rio, la surprise paraît encore plus exotique. « J'ai immédiatement téléphoné à ma mère, raconte Castelbajac. Elle était effrayée comme à l'aurore d'une seconde révolution parce que des voitures avaient pénétré dans le parc de la propriété pour klaxonner. Et soudain, je vois Jean-Paul monter sur la table du restaurant, danser et chanter comme un fou alors que j'étais au bord des larmes ! Cette victoire me laissait perplexe. J'ai l'âme à droite et le cœur à gauche. »

Tout un septennat pour faire la fête. De 1981 à 1988, Jean-Paul, certes, se montre aux Bains, au Palace, au Queen mais c'est surtout sa boîte à dessin qui lui tient lieu de dance-floor. « J'étais moi-même, et je suis toujours, un grand fêtard, avoue Castelbajac. Cela m'a joué des tours toute ma vie. Je le voyais furtivement, de temps en temps, dans des lieux à la mode mais jamais déguisé dans les bals costumés du Palace, par exemple. Il s'exhibait peu. Je le crois au fond assez casanier, vivant en petit comité, avec ses amis. Il s'est tellement investi dans sa mission qu'il s'est senti porteur de tout un patrimoine. Du coup, une grande partie de l'expression de la fête est dans son travail. » Et son travail consiste en effet à faire exploser les références, et d'abord dans le vestiaire. En s'emparant des emblèmes paradoxaux de l'oppression esthétique, il pratique le second degré, invite la femme à sa libération érotique. Le corset conique est son totem. Universellement reconnu, ce fétiche surgit très tôt dans son inspiration, accueille Madonna, se niche trente ans durant dans l'imaginaire collectif et permet d'identifier JPG de Milan à Tokyo. Signe extérieur de richesse : les seins y sont pointus, tubulaires, plus poires que pommes, plus Afrique qu'Amérique. Il le bidouille très tôt. Aussitôt présenté, il suscite un émoi extrême. On y voit une transgression érotique de haut vol, un jeu avec le corps qui met la presse, première courroie de transmission, dans tous ses états. Pour *Actuel*, Jean-François Bizot le décrit dans une extase régressive comme le « corset en satin aux nénés pointus comme des cornets à la crème ». Il parade en velours framboise ou mandarine, s'épanouit dans une minirobe moulante, lacée dans le dos.

Toute l'écriture libertine du couturier est là, en germe, dans cette collection de 1984 qui ne se contente pas de jouer du lacet mais qui relie mannequins black and white, artistes de cirque, boubous africains et negro spirituals. Un grand shaker ! D'où jaillit la vie telle qu'elle est et non telle que la mode la rêve. Le compte rendu du défilé « Barbès » reflète l'état de choc. Les journalistes sont condamnés à revisiter leur lexique ; le « métissage » proposé par Gaultier n'ayant pas d'antécédent, il impose aussi un vocabulaire neuf. Le curseur de l'histrion annexe tous les registres : l'Afrique de Pigalle, les orphelins de Charles Dickens, les skieuses de fond, les gladiateurs, des merveilleuses, des incroyables, des Mary Poppins tournoyant sur un manège. Chroniquer sa collection suppose une bonne érudition, un vrai coup de crayon et une plume leste. Avec lui, le rédacteur de mode est transféré à la rubrique des sports. On couvre son défilé comme on court un marathon. Il va d'ailleurs exploiter cette ambivalence en construisant « In & out », son show, qui bouleverse les rites internes de la mode et ceux de sa mise en spectacle. Cette année-là, deux mille personnes entrent, sans invitation, dans son grand magic circus. La salle devient elle aussi *de facto* un théâtre, un hapenning et les journalistes doivent consigner l'affaire dans sa totalité, incidents compris, doublant souvent la taille de leur article.

En 1984, *Le Matin* ne se contente pas de décliner les toilettes, il explique aussi que le créateur a loué le Cirque d'Hiver à Joseph Bouglione, un homme du siècle dernier, vêtu comme Buffalo Bill. Marie-Dominique Lelièvre raconte les prémices du show, avec cars de police stationnant devant le cirque, cinq cents personnes refoulées, une voiture piétinée par les invités, une Sheila pour qui Jean-Paul a ouvert la boîte de Pandore des yéyés puisqu'elle est là, improbable rédactrice de mode, envoyée spéciale de Radio 7. On est prêt à dépenser jusqu'à 300 francs pour entrer. Un trio de musiciens blacks monte sur scène et entonne un gospel. C'est un chaos incontrôlable au sein duquel les glorieuses prothèses emmaillotées se hissent sur le chapiteau, dessinant le nouveau profil insolent de la vamp JPG. La journaliste du *Matin*, étourdie par une trentaine de passages tous plus sidérants les uns que les autres, compare dans sa chute ces airbags africains à « des dragées enveloppées de velours équivoque ».

Caractériser ces obus va devenir le passe-temps sémantique de la décennie. En attendant, au rythme de deux défilés par an, de La Villette à la salle Wagram en passant par le Square du Temple, avec une foule de groupies faisant la queue comme s'ils attendaient les Stones, Jean-Paul devient rock star de mode. Et invente bel et bien la fureur des *runways*, mettant le feu aux podiums, drainant un nouveau public en transe dans ses shows scénographiés et mis en musique comme des concerts de rock. Parfois Neneh Cherry ou Boy George viennent chanter en *live*. Les Rita Mitsouko font le show, Yvette Horner, égérie empaillée, relookée en lamé or, joue quelques notes d'accordéon. On ne sait jamais de quel côté le scud va tomber. Alors on veut en être, à tout prix. C'est l'effet Palace transposé sous les verrières de la Grande Halle de la Villette. Marie Colmant et Pascaline Cuvelier notent sur le programme du défilé intitulé « Trois fois rien par un bon à rien » : « On se bouscule… Oubliés les rédactrices et les acheteurs noyés dans la masse des fans venus pour le fun. Réuni par le même instinct tribal, le clan Gaultier est au rendez-vous. Enfin, on est entre nous, on fait partie de la même famille. Ce n'est plus du tout un défilé, c'est un événement. » La plupart du temps, trois cents photographes et une dizaine de télés internationales sont à l'affût. Des bourgeoises bien mises et des jeunes gens BCBG en viennent aux mains. Sylvie Joly accepte des passages parodiques de mannequin cabine à la retraite. Evidemment, le spectacle prime souvent sur la qualité des toilettes montrées et le farceur se fait parfois renvoyer d'une pichenette dans les cordes. « Et à part ça, qu'est-ce qu'on se met ? » conclut *Le Matin* irrité par une saison saturée de trouvailles humoristiques. Une autre fois, une journaliste énervée par une robe néo-mémère taillée dans un dessus-de-lit synthétique, lors d'un défilé moqueur baptisé « Le charme coincé de la bourgeoisie », rédige la conclusion suivante : « Après tout, il n'y a pas que la rigolade dans la vie. »

C'est qu'avec Gaultier, on exige toujours plus : le rire et le talent. On sait qu'il en est capable. Catherine Lardeur, rédactrice en chef de *Marie Claire*, repère très vite chez lui un don inné pour la coupe et une rigueur dissimulée sous l'esbroufe. Sa réputation d'ironiste, son génie visuel, son étourdissante aptitude à zoomer sur une multitude de femmes antagonistes au sein d'un même défilé donnent le tournis. Médiatisé à outrance, Gaultier devient un sujet journalistique à part entière. On le décrit à l'atelier, à table, dans les Halles, au défilé. On ne l'appelle plus que par son prénom dans une délicieuse complicité d'initiés. Il est générationnel, raffole du *Bal des vampires* de Polanski et des films de Truffaut, générant du scoop culturel et un esprit rebelle. Vedette et chouchou imprévisible, il s'apprête à démystifier le cérémonial du défilé. Au lieu de la majestueuse apparition guindée à la Saint Laurent, en monarque menant gravement sa mariée à l'autel, le cancre pulvérise le final de mode. C'est en courant, en sautillant, en rigolant qu'il arpente le podium, histoire de saluer, irrésistible bouffon, sa cour des miracles, substituant l'affection et l'amitié à la révérence pompeuse. C'est à partir de là que sa cote d'amour grimpe en flèche.

Un : la mode a enfin trouvé un grand réformateur non dogmatique. Deux : Jean-Paul Gaultier ne se prend pas au sérieux, réflexe rarissime dans le sérail, se disent les observateurs. « Un grand dégingandé aux cheveux blancs coupés en brosse passe en courant tandis que le public applaudit », résume la presse bluffée par cet exercice d'autodésacralisation. En réalité, cette gestuelle n'est ni pensée, ni posée. Elle ne vise pas à produire un effet. Jean-Paul salue comme il coupe, chante, danse, mange et marche : à toute allure, à l'instinct. C'est un taureau qui a des ailes. Parfois, il entraîne dans son sillage l'équipe entière, habilleuses et éclairagistes confus, mis en vedette malgré eux. C'en est fini de la messe. Jean-Charles de Castelbajac en déduit une éthique de la légèreté : « Même dans les moments difficiles, il incarnait une forme d'allégresse et de générosité, confie-t-il. J'ai eu une traversée du désert dans les années quatre-vingt-dix. Pour un excentrique comme moi qui avais derrière lui quarante ans de couleurs et de décalage, l'époque n'était pas favorable. Un jour, Jean-Paul vient me voir et me prend par l'épaule : "On va entrer dans un couloir pop. Tout ton travail va revenir en force." Cela m'a interpellé et il n'avait pas tort car j'ai en effet rebondi avec l'idée des Jeunesses chrétiennes en 1997. J'ai repensé mes formes. Et le soutien, la philosophie de Jean-Paul m'ont redonné du ressort. Il a fait ça avec une extrême gentillesse, avec fraternité. C'est absolument exceptionnel dans ce milieu. Il est le seul à m'avoir envoyé un message d'encouragement, à m'avoir dit : "Tiens bon." Aujourd'hui, j'y vois comme un présage. Il s'est toujours mis au service de la fantaisie et du partage. Quand j'observais Saint Laurent, j'assistais à la souffrance dans l'acte de création. Lui a toujours suivi sa ligne d'horizon dans la simplicité, la légèreté et sans fardeau existentiel. Alors cette image de Jean-Paul à la fin des défilés, sautillant, souriant aux anges, le résume complètement. Il draine la philosophie contenue dans cette phrase de Cervantès : "Garde toujours dans ta main la main de l'enfant que tu as été." »

L'enfance d'Arcueil est omniprésente dans l'inspiration. Elle générera des petits matelots déchaînés, côté garçons, et des poupées désarticulées, des petits rats d'hôtel en tutu rose, côté filles. Mais il la prolonge aussi en acte : Francis l'amoureux et l'ami Donald sont indissociables de l'aventure professionnelle. Sans cette énergie pulsionnelle qui prend sa source dans les salles de classe, en cour de récré et qui soude les trois copains dans une fidélité sans nostalgie à leurs débuts dans la vie, rien n'aurait été possible et surtout pas le culot inédit qui les fait entrer les mains dans les poches dans l'univers policé de la mode. Ces trois Gavroche ne se contentent pas de pousser la porte, ils osent secouer les mentalités d'une institution dorée sur tranche. En conséquence, les gazettes baptisent cet agité du bocal « l'enfant terrible de la mode », référence au récit de Cocteau.

Qui aime sautiller, porter des pulls marins, se coiffer en brosse comme Tintin ? Qui abuse des sucreries, raffole du cirque et des blagues de Toto ? Tout ce qui fait la Gaultier's touch est directement relié à un monde où le jeu, l'imaginaire et le rêve se substituent aux règles et aux interdits. Dans l'univers qu'il propose, presque tout est permis et les parents sont éternellement absents. Ce qu'il a vécu jusqu'à l'adolescence, douillettement élevé par une grand-mère fantasque, une Madame Rosa qui lui a enseigné qu'il avait « la vie devant soi » et dont l'autorité baroque a remplacé celle d'un couple parental en jachère, est inscrit dans ses collections. Ses super-héroïnes, sorcières gondolantes, *James Bond girls* cagoulées, mitraillette au poing, ses disco-nymphettes Grease moulées dans des pantalons de skaï, tous ces personnages de cartoon semblent interrompre l'arbre généalogique. Elles flottent dans une cité juvénile incertaine où les anciens n'existent pas, dans une parenthèse générationnelle où l'enfance jouxte l'adolescence éternelle dans un refus argumenté du passage à l'âge adulte.

Si la mode façonne depuis toujours les objets du désir jeune, « la jolie madame » célébrée dans les années cinquante, n'a pas perdu sa fonction d'acheteuse. Chez Saint Laurent, les pantalons, les blouses vaporeuses, les tailleurs sont coupés pour une trentenaire, jeune maman. Les robes XL d'Anne-Marie Beretta conviennent aux premiers mois de grossesse où un ventre peut s'arrondir discrètement. Castelbajac et Kenzo inventent des femmes actives, des épouses, des mères potentielles. Chez Jean-Paul, l'aventure maternelle est plus floue, la vie professionnelle semble en suspens, repoussée aux calendes grecques et, pour tout dire, improbable. Son vestiaire dévoué à d'éternelles jeunes filles rebelles vise les délires nocturnes, l'éclat d'un jour de farniente, entérine le réel mais sous son aspect festif, décalé et ludique. Il s'agit de «jouer à la femme» tout en se retranchant derrière la barrière protectrice de l'enfance. Femmes-enfants, femmes-pitres, femmes postmodernes, femmes provocantes et révoltées, mais jamais rangées: c'est à ces créatures iconiques, en gestation, inachevées, qu'il adresse son message codé. Dans ce discours féminin inédit, la partie immergée de l'enfance est immédiatement identifiable. Irène Silvagni décrit d'ailleurs Jean-Paul comme «le gosse incontrôlable qui casse tout dans la classe».

L'excentricité spontanée de ses défilés fait très vite des émules. Les médias lui emboîtent le pas. Puisqu'il transgresse, «joue» au créateur, enrôle des mannequins non professionnels, hommes et femmes de la rue, recrutés dans des castings sauvages où tout le monde, du cracheur de feu à la femme du troisième âge, a sa chance, les rédacteurs en chef vont dépêcher un grand reporter sur son podium, pour rire. Jean-Paul Dubois, vrai journaliste et faux modèle, est chargé de se muer en *cover-boy* d'un soir et de relater sa fashion expérience. C'est du journalisme gonzo, à la première personne, façon *Actuel*. Gaultier permet cet exercice de style. D'autres couturiers auraient-ils accepté, au risque de passer pour des amateurs ou des imposteurs, ce type de gag? Rien n'est moins sûr. Mais dans cette dialectique consistant à surfer du comique de situation à l'autodérision, la tentation est trop forte. Rien à cacher : telle pourrait être sa devise. Ce qui inquiète d'emblée le futur romancier, c'est la maigreur de ses propres mollets. Cette caractéristique physique n'entre pas dans l'idée que Jean-Paul Dubois se fait d'un mannequin. Le papier est amusant parce qu'il joue sur cette idée fixe qui revient, de manière récurrente, tous les deux paragraphes. Elle va bien évidemment lui gâcher son premier et dernier défilé. Alors, à l'essayage, le néophyte ne voit rien d'autre dans le miroir que « ces collants verts enfilés sur des pattes de crabe ». Il explique que le sympathique Jean-Paul lui a façonné de « merveilleuses et aventureuses » tenues, ce qui en dit long sur son ignorance en matière de mode. Puis, assis à la table de maquillage, Dubois endure le supplice de la métamorphose : « J'ai un catogan, un cardigan de laque dans les cheveux, un océan de crans, du teint en poudre, du rimmel qui fait mal, un pinceau dans les yeux et un bâton de rouge dans la bouche. » Le métier rentre. Après deux heures de bachotage, le reporter aux cuisses grêles est enfin capable de décrire sa toilette. Evidemment, Jean-Paul ne l'a pas raté : une braguette de quarante centimètres, des bretelles jusqu'aux clavicules, un gilet zippé, un collant céladon. Au troisième passage, c'est presque un pro qui parle : « J'ai, écrit-il, un smoking d'enfer et un Perfecto sans manche. Sublime. Rambo chez René Coty. » Rambo fait un tabac. Au moment de se jeter dans l'arène, il sent dans son dos une forte poussée, accompagnée de ce conseil sommaire : « Marchez comme dans la rue. » L'affaire est entendue. Pour défiler, il suffit de marcher et de préférence comme dans la rue. C'est là que Gaultier puise ses visions et c'est sur un bitume transposé selon ses fantasmes qu'il veut voir déambuler ses mannequins non conformes. Pour dessiner, créer et représenter, c'est vrai, il faut avancer, yeux grands ouverts, en spectateur boulimique du théâtre de la rue.

De la suite dans les idées, des visions plein la tête, Gaultier va martelant sa petite poésie urbaine. « Je m'inspire de la rue », lit-on partout dans les articles. Sa science du *street-walk* est un manifeste. Il hisse le quotidien très haut mais ses yeux y décèlent ce que d'autres ne voient pas. Les coloquintes rouges de Matisse, les cavaliers bleus de Kandinsky, toutes les distorsions visuelles lui sont familières. Faïza, son assistante depuis quinze ans, clone menu de Frida Kahlo, tente d'esquisser la méthode de captation de Jean-Paul. Elle l'a maintes fois observée mais, toujours, cette mise en mouvement, cette mécanique rodée l'impressionne. « Si Jean-Paul était là avec nous, devant le parvis de Beaubourg, il commencerait par une rotation du regard à cent quatre-vingts degrés. Il saisirait ce que nous ne voyons pas. C'est-à-dire une multitude de rayons multicolores auréolant la foule qui passe, un petit garçon avec un drôle de manteau et qui court. Quant au pot géant de Raynaud à l'entrée du Centre Pompidou, il s'agirait probablement pour lui d'un autre objet, peut-être une citrouille ou une bicyclette, et sa couleur ne serait pas la même, rose thyrien, rouge magenta, l'or originel aurait disparu. »

Pop casting

« La plus perdue des journées est celle où l'on n'a pas ri. »

CHAMFORT

Œil rotatif, computer agité, Jean-Paul transpose les images de la vie en saynètes kaléidoscopiques, c'est un réflexe sensoriel. Dans un deuxième temps, il croque des êtres en mouvement, des femmes sans tête, les inscrit dans un contexte, leur fournit une situation. Du story-board à la scénographie, il n'y a qu'un pas. Pour les actrices de ses petits scripts fictionnels, il va imposer sa propre méthode. Une première. Au lieu de compulser les books, il squeeze les agences, écarte les pros et décide de recruter ses modèles en les auditionnant. Massivement. L'invraisemblable aventure du casting sauvage est lancée. Décidément, ce type-là ne fait rien comme les autres. Evidemment, Gaultier est prêt à tout pour se faire remarquer. On imagine le landernau policé de la mode secoué de spasmes. Ce hors-la-loi bouscule l'itinéraire traditionnel, refuse de valider les normes officielles et revisite à sa manière les canons de la beauté. Non seulement il n'engage pas en priorité les vedettes de podium, mais il se peut que ces professionnelles de l'élégance soient carrément interdites de séjour dans son univers foutraque. C'est à cette époque que l'histrion se met à battre ses œufs en neige platoniciens. Epigone du *Banquet*, il proclame que « le Beau existe aussi peu que le Bien ou le Vrai ». Révisant de poussiéreux concepts jamais remis en question dans les maisons de couture, excepté par Saint Laurent qui, le premier, propulsa ses beautés black, il conteste tout. Chez lui, le nez aquilin, les cheveux raides et blonds, le mètre soixante-seize et les yeux bleus ne constituent pas la panacée. Au contraire, pour porter ses délirantes trouvailles issues de la ville, il cherche, logique implacable, des êtres de la rue. Jean-Paul n'a rien contre les boulottes, les peaux caramel ou d'ébène, les petites, les baraquées, les frisées. Le jeunisme, très en vogue dans les années quatre-vingt, l'indiffère et il trouve aux visages ridés, aux cheveux blancs des charmes baudelairiens. Conséquence directe de cette révolution esthétique : chacun et chacune a sa chance avec lui. Semblable à Andy Warhol, il ouvre la porte aux anonymes et leur promet une notoriété éphémère. « Dans mes défilés, dit-il pour rassurer les grincheux, je prends aussi des mannequins, mais j'aime les gens qui ont du caractère, qui marchent autrement, comme dans la vie de tous les jours. Il n'y a pas qu'un seul critère unique de beauté. Moi, par exemple, je n'aime pas les nez refaits. »

Comme on donne rendez-vous à un ami perdu de vue devant le Forum des Halles, comme on rédige le signalement de son chat égaré un jour de pluie, Jean-

Paul adresse dans *Libération* ses petites annonces, ses bouteilles à la mer, ses excentriques SOS. *Créateur – non conforme – recherche mannequins atypiques – gueules cassées ne pas s'abstenir.* Frédérique Lorca se souvient de cette grande chasse aux physiques extraordinaires. « On passait par les petites annonces, tout simplement. Et ceux qui répondaient, c'était bien entendu du tout-venant puisque, par définition, Jean-Paul ne filtrait pas. » C'est qu'il veut des gens vrais, pas de la seconde main, d'authentiques non-professionnels. Comme Robert Bresson qui n'engage que des « modèles », des silhouettes inconnues, pour jouer dans ses films, Gaultier préfère s'en remettre aux anonymes. « Pour le défilé "Tatouage et piercings" qui est ma collection préférée, on cherchait large, explique Frédérique. Rue Vivienne, on a vu se former d'interminables files de postulants. Il y avait de tout : des skinheads, des post-punks, des Africains en dreadlocks, des hindous barbus. A un certain moment, arrivent des gens du cirque. Nous, on était assis derrière une grande table et Jean-Paul leur demandait gentiment de faire leur numéro. Je ne suis pas sûre qu'ils aient tous compris qu'il s'agissait d'un défilé. C'était tout et n'importe quoi. On a eu droit à des numéros de jongleur, de cracheur de feu, d'acrobate. Cela pouvait durer des heures mais Jean-Paul les recevait tous poliment, les uns après les autres, sans les interrompre et les remerciait à la fin. C'était la *Star Academy* bien avant l'heure. Nous, on adorait ces ambiances mais certains journalistes critiquaient ouvertement ce côté *open.* » Un défilé hommes restera dans les annales de ces auditions de fête foraine : ce jour-là, un millier de personnes viendront montrer à cet imprésario ce qu'elles savent faire !

Si Monsieur Tout-le-monde est convoqué par voie de presse, certaines beautés originales se distinguent spontanément dans la masse des noctambules qui fréquentent le Palace. Le professeur Frédérique Lorca a du flair, du style et du goût. Le métier de *talent scout* n'existe pas encore mais elle invente la fonction. De même que Jean-Paul et Francis l'ont choisie en la croisant, la nuit, pour son élégance, sa manière de porter une veste Chanel avec du cuir et des Ray-Ban, ses lèvres maquillées en rouge carmin et son port de tête, elle va sélectionner pour le tandem créatif des silhouettes inédites. Elle observe la faune des boîtes de nuit. Farida Khelfa vient des Minguettes. Cette Beurette de Lyon a quitté la province et tente sa chance à Paris. Elle est très grande, filiforme et ses cheveux noirs frisés lui donnent une allure folle. Elle se juge « tout sauf intéressante ». Paris, pour elle, évoque une interminable fête : « Je vivais en phalanstère avec un groupe de copains, dit-elle en picorant une salade de langoustines au bar du Raphaël. On sortait tous ensemble le soir, paradoxalement je me sentais très en sécurité la nuit tombée. C'est le jour qui me faisait peur. »

Les rassurants amis forment une bande de branchés qui vadrouillent dans la mode et les arts. Il y a là Pauline Laffont, blonde Betty Boop, Christian Louboutin le chausseur, et la comédienne Eva Ionesco. Leur QG, c'est le Palace. « On n'y allait pas avant 2 heures du matin, explique Farida. On était très “fringués”. On passait nos journées à chiner aux Puces, au marché Saint-Pierre, à acheter pour 2,50 francs des toiles cirées flashy qu'on transformait en robes. J'étais même devenue la poupée-mannequin des gens de mode qui adoraient m'attifer. » A ce moment-là, les looks sont reliés à la musique. Farida et ses copains adoptent le ska, pantalons de cuir moulants et petits borsalinos sur la tête. Assez souvent elle porte une minijupe de cuir noir, des talons de dix centimètres, des pulls asymétriques très décolletés dans le dos et un gloss cerise. Frédérique, dite Frédo, poisson pilote de Jean-Paul, flashe sur Farida et l'envoie dans son atelier. La Lyonnaise n'a que dix-neuf ans. Elle est extrêmement intimidée, peu loquace, presque méfiante. Elle n'a pas vraiment entendu parler du jeune prodige puisque les deux vedettes pointues du moment s'appellent Thierry Mugler et Claude Montana. Elle sent toutefois « une bonne énergie » et accepte de défiler pour le débutant : « Surtout, je ne comprenais pas pourquoi j'étais choisie pour ce job. Je ne me trouvais vraiment pas belle. »

Embarquée dans la dream team, Farida étrenne les plâtres de La Villette à la salle Wagram, promeut les bracelets-boîtes de conserve, les robes sacs-poubelle et les jupes en raphia, la combinaison de *James Bond girl* cagoulée et la mitraillette, entend la foule des aficionados hurler son enthousiasme et séduit dans la foulée le petit Azzedine Alaïa dont elle magnifie les fourreaux de sirène. Quand elle compare Azzedine et Jean-Paul, c'est l'ultrarapidité du second qui lui vient à l'esprit : « Les essayages avec Azzedine duraient des heures. Avec Jean-Paul, tac, tac, on répétait une heure avant le show et c'était plié. Il faut dire qu'il avait la baraka. Tout ce qu'il faisait prenait à la vitesse de l'éclair. On défilait avec des espèces de casseroles sur la tête et le lendemain les femmes voulaient des chapeaux identiques. C'était l'état de grâce dans un chaos sympathique. » Farida passe des mains d'un Jean-Paul à celles d'un autre. Goude, empereur graphique des eighties, partage avec Gaultier un goût des cultures différentes, des ethnies lointaines et du mélange. Vidéaste, publicitaire, photographe, son univers explose dans tous les magazines. De Farida, il fera l'icône des années quatre-vingt. Sa dégaine racée, sa crinière, sa peau mate et ses attaches fines circulent sur papier glacé. Un illustre cliché signé Goude popularise le tout petit Azzedine, nain tunisien bienveillant, contemplant l'immense Blanche-Neige beure. « Le mot, précise Farida, qui a coupé court sa crinière de lionne, n'était pas utilisé. On ne disait "beur" que pour se désigner entre nous. Il n'apparaît dans le vocabulaire courant que deux ans plus tard quand Harlem Désir crée le mouvement SOS Racisme et le slogan "Touche pas à mon pote". »

Gaultier se tient donc au carrefour d'une époque décisive. L'antiracisme et l'anticonformisme marchent main dans la main. On propulse Grace Jones, être bisexué glamour et inquiétant, les drag-queens font sensation, Klaus Nomi chante le blues homosexuel en *sophisticated lady*. Il est implicitement interdit de juger. Tout le monde a droit de cité, la tolérance, mot-valise gouvernemental, se décline au présent et la chasse aux clichés est ouverte. Sur les podiums Gaultier, au côté de Farida on trouve Edwige, la blonde reine des punks, Eugénie Vincent, la grande rousse à peau laiteuse, Frédo, transfuge de chez Chanel, Claudia Huidobro et Christine Bergström. Tout est possible. Dans cette nouvelle vague appliquée à la mode, il s'agit de décloisonner, de mixer, de proposer d'autres fantasmes. Christine est une Suédoise qui transite à Paris par amour et pour échapper à d'ennuyeuses études à Stockholm. Jean-Paul l'aperçoit en 1983 à un salon de jeunes créateurs. On ne voit qu'elle. Elle est immense, radieuse. C'est une sirène scandinave qui crêpe très haut des longs cheveux platine décolorés blanc neige. Elle porte une robe à la Rita Hayworth et des talons de quinze centimètres. Le coup de foudre est réciproque. « Il avait déjà un nom et j'étais très flattée qu'il me propose de travailler pour lui. A l'époque, j'étais le cobaye de Montana. Il faisait tout sur moi et mes journées duraient vingt heures. Jean-Paul n'avait pas encore sa coupe en brosse, j'adorais son univers. Il était grand, beau, souriant, super. »

L'appétissante, l'euphorique Christine devient l'une des figures de proue du clan. Dix ans durant, elle participe à tous les shows. « Ce que j'adorais, c'était ce qu'on appelle "les looks" dans le jargon. Ce sont trois nuits blanches avant le défilé où l'on assemble les toilettes et les accessoires sur nous. Contrairement aux autres, Jean-Paul ne se butait jamais. Rien ne bloquait son élan. Si un objet ne s'intégrait pas à la toilette, au lieu d'essayer de résoudre le problème pendant des heures, hop, il passait à la tenue suivante et son intuition fonctionnait, car la solution surgissait naturellement, un peu plus tard. Il faisait preuve d'une énergie surhumaine. Agenouillé devant nous, vers 5 heures du matin, il lui arrivait de lever la tête et de dire : "Vous n'êtes pas un peu fatiguées, les filles ?" On était exténuées mais on aurait eu trop honte de le lui avouer. Jean-Paul est un être fondant à qui on ne peut rien refuser. » Chez Montana, un défilé est une messe, chez Kenzo, une fête où le champagne coule à flots même sur scène, Gaultier, lui, suscite une sorte de ferveur inexplicable. En défilant au Cirque d'Hiver, au Square du Temple, au musée du Carrousel, la Suédoise découvre la capitale : « Il y avait une atmosphère unique. On jouait, on s'amusait comme des gosses. Une fois, on avait construit sous le podium des petites trappes. Et les mannequins sortaient de terre comme une fleur qui éclôt, en se déployant les unes après les autres. Il nous a aussi fait tournoyer sur nous-mêmes déguisées en bonnes sœurs. Et puis on a défilé sur une pente de neige artificielle avec la chanteuse Björk vêtue en Esquimau rock. Il était toujours d'une humeur de rêve. Rigoler en travaillant, c'était ça, Gaultier. »

Sur Christine, pin-up kitsch, Jean-Paul façonne ses vamps dénudées, son sens ludique du sexy. La première, elle porte la robe-corset de satin chair entièrement lacée de haut en bas et dont l'ajustage se fait sur mesure. Ce jour-là, Jean-Paul contemple le voluptueux résultat, dévisage sa walkyrie ficelée et lâche, pince-sans-rire : « Je connaissais le saumon scandinave, mais là, je crois qu'on vient d'inventer le saucisson suédois ! » Deux défilés plus tard, enveloppée d'une résille entièrement transparente où sont patchés deux mamelons pailletés et un pubis de dentelle noire en trompe l'œil, Christine arpente le catwalk, provoquant un choc érotique et assurant une notoriété durable à cette robe buñuelienne que Naomi Campbell sublimera à son tour. Une autre fois, elle porte, sans aucun dessous, une mininuisette de voile. Cette mise en vedette *hot* provoque chez son mari la réflexion suivante : « Ecoute, il y a quarante filles chez Gaultier, comment se fait-il que ce soit toujours toi qui te retrouves toute nue ? »

A Jean-Paul, on ne dit pas non. Quand il faut improviser, Christine est partante. Elle passe la balayette pour « La concierge est dans l'escalier ». Farida, elle, refuse toutes les propositions de sketch. Elle défile *straight* et réalise même *a posteriori* que ce métier la terrorisait. « Je crois, dit-elle presque trente ans plus tard, que j'ai toujours détesté ça. Le trac était trop fort. » Jean-Paul a d'ailleurs toujours respecté sa réserve naturelle. Elle l'inspire, produit sur lui un choc visuel stimulant. Il adore cette fille au sourire de chat, aux grands yeux cachou, mélancoliques. Aussi lui rend-il hommage en lançant Amid à ses trousses, un éphèbe arabe baraqué, enchaîné et portant autour du cou une guillotine sur laquelle est écrite cette dédicace explicite : « A Farida pour la vie. » Christine, au contraire, adore s'exhiber, faire le show pour Jean-Paul qui diffuse une joie contagieuse, une fantaisie continuelle : « Le défilé des "Maharadjas" était tellement inattendu. Et les tatouages ! Ils étaient complètement en adéquation avec la jeunesse du moment ! Je garde le souvenir du carton d'invitation frappé à l'effigie de Johnny Rotten. Quant aux "Rabbins chic", c'était du délire. Je me souviens qu'il avait filé la métaphore talmudique jusqu'au bout. La signature Jean-Paul Gaultier était rédigée cette fois en caractères hébraïques ! »

Jean-Paul est généreux, il laisse à ses mannequins une robe souvenir à l'issue de chaque show. Christine a gardé un tee-shirt « tatouage », des bottes à houppelande blanche de la collection russe et un bustier conique :

« C'était sa marque de fabrique, ces prothèses mammaires. A l'époque, il en mettait partout, dans les pulls, dans les gilets, dans les blazers. » Farida conserve dans ses armoires le tutu et le Perfecto qu'elle portait dans les Halles en plein jour et une minijupe en velours à impression peau de vache dont aujourd'hui encore elle a du mal à se séparer. « Il a opéré une mutation esthétique dans la société tout entière, estime-t-elle. Il a imposé des physiques différents et des filles qu'on jugeait moches se sont retrouvées dans les magazines. Jean-Paul disait explicitement : "Tout le monde est beau." » Par petites touches, les égéries dessinent en creux le portrait de leur pygmalion bouffon : « C'est un timide pas très exubérant, poursuit Farida. Ses fantasmes ne s'expriment que dans ses créations. Il ne boit pas, ne fume pas, ne sort presque pas. Il mène une vie quasiment monacale. Sa générosité est assez rare dans ce métier. Se positionner comme un styliste alors qu'il est couturier, c'est aussi un signe de modestie peu banale. Et s'il s'intéresse à ce point aux autres, c'est qu'il n'a pas un ego démesuré. Je ne l'ai jamais vu fanfaronner. Il est peu nombriliste. Quand on faisait des essayages, il se souciait énormément de notre confort dans la toilette et instaurait avec nous un dialogue permanent. L'avis de ses mannequins compte beaucoup. »

Délicat, attentionné, mais secret et très compliqué à cerner. Quand le rideau se lève, le metteur en scène est sous haute tension. Ses modèles le perdent de vue. Elles discernent l'avant et l'après qui se déroulent dans une ambiance euphorique mais à l'instant « t », aucune d'entre elles ne sait exactement décrire son état d'esprit. Il est ailleurs, tendu, concentré, soudain très seul. Christine se souvient des dîners post-défilés dans un bistrot proche où toute la troupe exténuée se contente de s'alimenter, où « l'être ensemble » compte davantage que les propos échangés, triviaux, forcément triviaux après les quatre ou cinq nuits blanches précédant la représentation. Un soir pourtant, Jean-Paul offre son plus beau cadeau à Christine. Au Cirque d'Hiver, la collection « Constructivisme » soulève l'admiration. Applaudissements. Lumière. Les caméras du monde entier sont braquées sur Gaultier. Il parle, salue, commente. Ce rituel peut durer soixante minutes. Mais la mère de Christine tient à être présentée au couturier. Elle s'appelle Rose-Marie et elle défilait pour Pierre Cardin quand Jean-Paul débutait. Elle avance timidement. Lui l'identifie immédiatement, se tourne vers ce chromo glamour de sa jeunesse et lance à Rose-Marie : « Votre fille, c'est la meilleure ! » La mère et la fille quittent le Cirque sur un petit nuage. « Voilà Jean-Paul, résume Christine. Quelqu'un qui malgré la pression sait ce qu'est une mère et ce qu'elle veut entendre. Tout le reste est littérature. »

Autour de ces podiums enchantés, le buzz est si fort, que certaines tops, non castées, tentent de se frayer un passage, au culot, à l'entrisme. Carla Bruni, en 1995, au faîte de sa gloire, ne recense qu'un seul échec : jamais elle n'a défilé pour Gaultier. Elle apprend qu'il cherche des rousses. La brune rusée ne se démonte pas, se rend incognito au casting et attend sagement son tour parmi une cinquantaine de débutantes parfaitement inconnues au bataillon. Deux heures plus tard, le créateur anticonformiste s'incline : « Je l'avais reconnue, je ne pouvais pas lui dire qu'elle ne convenait pas, j'étais coincé, ne pouvais pas faire autrement, c'était un peu délicat » et engage la vraie-fausse-non-professionnelle franchement motivée. Fan absolue, treize ans plus tard, elle célèbrera son mariage avec Nicolas Sarkozy en robe longue blanche signée JPG : « Mais moi, je ne l'ai pas su, révèle l'ingénu. Elle est simplement passée chez Hermès et elle a acheté ma robe. Point. »

Un mètre quatre-vingts, des cheveux longs, épais, châtains, un regard d'opale et une bouche charnue à la Béatrice Dalle : Claudia Huidobro fut la top androgyne vedette des années quatre-vingt et quatre-vingt-dix. Maintes campagnes signées Mondino transcendent son sex-appeal inédit, entre Brésilienne chic et Londonienne déchaînée. Après avoir participé à l'iconographie du siècle, Claudia a rejoint ses premières amours. Elle travaille à sa prochaine expo, des collages dadaïstes exaltant des corps de femmes qu'aurait adorés Dalí. Fille d'architecte, étudiante aux Arts et Métiers, elle était programmée pour une carrière de plasticienne. Mais à l'agence City, on repère vite son potentiel. « C'est une agence qui voulait lancer des gueules. Et moi, j'étais atypique, je n'avais pas un physique lisse. » Voilà comment elle entre dans la tribu givrée. Pour sa première audition, son agent la fait répéter sec. Elle va rencontrer Gaultier qui est un peu le Mick Jagger de la mode. L'affaire est grave. Il la vêt d'un long imper, gaine ses jambes de bas résille noirs, lui concocte une allure de vamp, ultrasophistiquée, la perche sur des talons télescopiques et lui prépare une sorte de chorégraphie huilée. Le lendemain, en face de l'impressionnant mentor, rien ne se passe comme prévu. Elle enlève ses souliers, il lui demande de « marcher un peu ». Un aller-retour plus tard, il conclut : « C'est bon, tu fais le défilé. »

Plus pragmatique, plus amical, plus simple dans la démarche, on ne trouve pas. Claudia n'avait pas tout à fait anticipé qu'elle clôturerait en vedette le défilé en question, avec un chignon de trente centimètres de haut et un fourreau à seins coniques ultramoulant en satin nègre laissant entrevoir son slip de dentelle noire. Pas plus qu'elle n'avait imaginé qu'un quart d'heure avant le show, Jean-Paul lui demanderait de tenir une coupe de champagne, de mimer l'ivresse et de se tenir accroupie dans sa robe moulante à craquer tandis qu'Inès de la Fressange, pompette également, trinquerait avec elle.

« C'était l'improvisation la plus totale. Il nous donnait les situations et même parfois de tout petits textes dans la précipitation. A l'époque, je travaillais aussi pour les Japonais. Chez Comme des Garçons, on commençait à 5 heures du matin et on répétait trois fois. Jean-Paul, lui, nous lançait dans l'arène sans filet. » Au Cirque d'Hiver pour « Le charme coincé de la bourgeoisie », elle se tient droite et guindée tandis qu'un autre top vient épousseter son piano à queue, plumeau à la main. A la Grande Halle de la Villette, dans une ambiance onirique à la Jules Verne, Claudia et cinquante filles sont hissées sur des plates-formes par des machinistes ahuris. « Un jour, j'ai porté la fameuse robe de mariée du final. J'aurais dû me douter qu'avec Jean-Paul, l'hymen ne serait pas tout à fait convenable. » Et en effet, le voile de l'épouse n'en finit pas de se dérouler sur des mètres de gaze enveloppant les dix garçons sublimes qui lui tiennent lieu de demoiselles d'honneur. A l'aveuglette, Claudia avance et fait dégringoler le décor. Potache, bouffon dans l'âme, Gaultier adore se prendre littéralement les pieds dans le tapis. Bousculer les catégories du beau et du laid, atomiser les rituels de recrutement des mannequins, métamorphoser les podiums en tréteaux de théâtre. Y ajouter des groupes de rock, des gospels, des récitants loufoques, cela ne lui suffit pas. Toujours il lui faut vivre au bord de l'incident diplomatique, oser la boulette, la gaffe, tenter l'à-peu-près. C'est dans ce rire étouffé de cancre, de gamin roublard dissimulant dans ses poches un stock de pétards et de boules puantes qu'il trouve un sens à sa vie.

Le sitting est souvent prétexte à des préludes burlesques. Un jour, Catherine Lardeur, de *Marie Claire*, déchiffre sur la chaise voisine une petite étiquette au nom de « Sa Majesté Elizabeth II d'Angleterre ». Mais c'est un viril sosie à bibi qui s'installe. Gaultier affectionne ce genre de canular. Alain Paccadis, le chroniqueur du night-clubbing, s'invite systématiquement au dernier moment et, ne trouvant pas de place, s'assied sur les genoux d'une cliente indignée. Ultime héritier de la lignée aristo-couture, Yves Saint Laurent ne s'en laisse pas conter par les pitreries de l'avant-garde. Les créateurs, ces petits nouveaux dissipés, l'agacent terriblement. Une brève étude comparée des titres des collections suffit d'ailleurs à planter le décor. Entre 1980 et 1982, tandis qu'avenue Marceau, on rend successivement hommage à Diaghilev, Picasso et Shakespeare, aux Halles de la Villette on célèbre 007, Barbès et la high-tech. Deux visions du monde totalement irréconciliables. Le petit prince brode son élégie nostalgique et peaufine sa Pléiade. L'enfant terrible, lui, pratique un art de la bédé, zoome sur un futur picaresque, un télescopage de références où déjà apparaît le fil rouge de la mixité ethnique.

C'est donc en dernier nabab qu'Yves Saint Laurent lance, lors d'un entretien avec Françoise Sagan dans *Elle*, son pavé dans la mare. Courroucé, amer, il ne cite jamais Gaultier mais c'est pour mieux le viser dans sa diatribe. « La mode, dit-il à l'auteur de *Aimez-vous Brahms ?*, est devenue depuis peu un spectacle complet. Cela se passe sur les estrades, avec des musiciens, des micros, des artifices qui sont là avant tout pour épater, faire de l'effet. Ce n'est plus de la couture, c'est du spectacle. Les relations des couturiers entre eux ou des couturiers et des clients sont passionnelles, théâtrales. Mais il découle que souvent le spectacle peut être parfait et la robe importable. Il en découle aussi que les noms sont lâchés tous les ans comme des montgolfières. L'année d'après, les montgolfières ont disparu, remplacées par d'autres. »

L'image, comme toujours chez Saint Laurent, n'est pas choisie au hasard. La montgolfière s'élève, se dilate et gonfle. C'est une machine remarquablement imposante. Elle dénote l'arrogance, la prétention de son projet – atteindre les cieux – et suggère une chute libre ou une explosion en plein vol. Mais pour l'instant, puisqu'il faut filer la métaphore jusqu'au bout, les leaders du prêt-à-porter ont le vent en poupe. La fin des années quatre-vingt donnera pourtant raison au maestro de l'avenue Marceau. Avis de tempête. Les baudruches se dégonflent. De la joyeuse bande des débuts, ne subsistent que quatre ou cinq noms, les autres sont passés à la trappe. Qui parle encore de Christophe Lebourg, de Poppy Moreni, d'Emmanuelle Kahn, de Jacques Audibert, d'Anne-Marie Beretta ? Génération polémique, avant-garde survoltée : très peu réussiront à durer. Le ballon dirigeable Gaultier, lui, n'est pas près d'atterrir.

Papier carbone

> « La vie est un vêtement. Quand il est sale, on le brosse. Quand il est troué, on le raccommode. Mais on reste vêtu tant qu'on peut. »
>
> Honoré DE BALZAC

Dans son petit bureau métallique de la rue de Rivoli, Olivier Saillard, directeur de la programmation au musée de la Mode, insiste sur l'exceptionnelle longévité du style Gaultier : « Dans l'histoire de la mode contemporaine, il est très rare de trouver une telle adéquation entre la rue, le moment, l'actualité, l'air du temps et un créateur. Perdurer au-delà de dix ans, c'est un exercice de style, vingt ans, un tour de force et trente ans comme Gaultier, un exploit et une résistance. Entre 1970 et 1990, il y a chez lui vingt ans de très bonne création continue. C'est exceptionnel. » Olivier « monte » à Paris à la fin des années quatre-vingt : « A l'époque, pas une journaliste n'aurait séché un de ses défilés. Ses collections correspondaient à une attente. Chaque fois, c'était pile celle qu'on avait envie de voir à ce moment-là, celle qui démodait les autres. On y observait l'exercice mystérieux de la mode, celui qui traite des choses du moment dans un effet de surprise et une mise en spectacle formidables. »

Les salles pleines, galvanisées, subissent une succession de chocs visuels. A La Villette, ses religieuses tournoyant sur elles-mêmes auraient pu le vouer aux gémonies. On lui demande d'ailleurs de se justifier et sa candeur naturelle étouffe le scandale dans un tourbillon ingénu. Dans *Elle* en mai 1990, à la question « Avez-vous provoqué sciemment ? », il répond, désarmant : « Non, j'ai été élevé dans la religion catholique mais, très jeune, j'ai adapté mes prières à ma façon : "Je n'ai pas le temps, mon Dieu, je pense à vous quand même, mais j'ai envie de dormir." Lorsque j'ai appris que le Père Noël n'existait pas, j'ai mis en doute l'existence de Dieu par la même occasion... Ce qui me plairait assez, ce serait de faire un patchwork de religions, de prendre ce qu'il y a de bien dans chacune d'elles, le catholicisme sans l'Inquisition, le Coran sans le voile... » Plus tard, on verra surgir ses poupées arabes, ses talmudistes chic, ses shiva enluminées. D'autres le suivront, plus timidement mais le traceur, l'avant-gardiste culotté, c'est lui. « Il anticipe, souligne Olivier Saillard, toujours. Il ose, il choque, offre du sulfureux, du mélange des genres. Chanel et Saint Laurent avaient déjà introduit du masculin dans les toilettes féminines. Mais lui, le premier, fait les deux et féminise les garçons : il chahute le vestiaire, promeut l'androgynie comme dans cette campagne de pub où le visage du mannequin Claudia Huidobro est coupé en deux en son milieu. A gauche elle est fille, à droite c'est un garçon. Quand il propose dès 1984 "une garde-robe pour deux", on voit bien qu'il dessine la bivalence, la bisexualité qui va orchestrer les mœurs et l'esthétique pour les décennies à venir. »

Transmission génétique de Mémé Garrabé, masseuse, infirmière, qui se prétendait magnétiseuse et aussi médium ? Ce qui est frémissant dans l'air du temps, l'ADN Gaultier le capte. Il précède et coïncide dans le même mouvement, se révélant tout à la fois baromètre et gourou d'une époque, atténuant l'effet *shocking* qui préside à chacune de ses propositions par un timing parfait entre le moment de mode et la réalité urbaine. Quand il propose « Piercings et tatouages », ces spécimens adolescents n'ont pas encore envahi le Forum des Halles : « C'est en allant à Londres que j'ai vu, lors d'un meeting à Trafalgar Square, des centaines de jeunes décorés d'anneaux et de tatouages. C'était hallucinant. J'ai immédiatement dessiné cette tribu à ma façon », dit le caricaturiste inspiré. La mode est un fruit à point. Trop mûre, elle est inconsommable. Encore verte, on la néglige. Jean-Paul fait dans le *al dente*. Il est le papier carbone des tendances. « Il se passe avec lui quelque chose de très fort qui ne s'était pas produit depuis très longtemps, poursuit Olivier Saillard. Quand on regarde aujourd'hui, il est le seul à avoir subsisté de cette génération montante du prêt-à-porter. Pourquoi ? Parce que le mouvement s'étiolait, se diluait et qu'il a su y introduire une créativité qui était jusque-là l'apanage de la haute couture. »

Pédagogue spontané, il éduque l'œil de l'homme de la rue et rééduque celui de l'homme de mode. Prouve qu'on peut faire du neuf avec du vieux, du masculin avec du féminin, mélanger du court et du long, des dessus et des dessous, marier du marron rouille à du bleu canard. Par un métissage des goûts, des formes, des envies et des sexes, il va enseigner, professeur de désir, un nouveau vocabulaire de la sape, une littérature de l'allure que des épigones doués veulent illustrer instantanément. « Le lendemain d'un défilé, note Olivier Saillard, alors que les vêtements n'étaient évidemment pas encore disponibles, on voyait circuler dans les journaux de mode des rédactrices qui avaient plissé la manche de leur tee-shirt et l'avait remontée jusqu'au coude par imitation immédiate. C'était spectaculaire. »

Il popularise la mode, démocratise les défilés, et organise la nouvelle ruée vers l'or. Les Puces de Saint-Ouen, le marché Saint-Pierre, la petite droguerie de quartier voient débarquer une nouvelle clientèle fashion qui se gaultierise au feeling. On chine, on fripe, on chasse le modèle *vintage*, la robe Courrèges qui croupit dans un stand de Clignancourt, la veste militaire, la jupe de grand-mère qu'il suffira de recycler et de patcher selon la méthode Gaultier. La jeunesse assimile deux ou trois schémas fondamentaux : une boîte de conserve peut se muer en bracelet, une boule à thé en collier, des baskets n'ont pas besoin d'être lacées, une veste d'homme aux manches tire-bouchonnées a un chic fou. *Libération* publie même une fiche-couture à l'usage des débrouillardes fauchées. En quatre croquis, on apprend aux nulles à faire de la retape, de la récup, à se façonner un look JPG acceptable. Exemple un : prendre un costume de grand-père, couper les manches entre l'épaule et le coude, coudre une bande de tricot noire à la place du cou et étrangler la taille avec deux épingles à nourrice. Motif deux : récupérer un vieux jupon au grenier, ramasser le bas, le glisser à l'envers pour le coudre au niveau de la ceinture et obtenir ainsi un jupon boule à effet bouillotte. Exercice trois : jouer du ciseau pour raccourcir un tee-shirt au-dessus du nombril. TP quatre : emprunter la gaine Playtex 1959 de Mémé, la teindre en vert anis et broder des tortillons de fil sapin sur les bonnets afin de produire la fameuse « corset touch ». La dernière imitation, simplissime, consiste à enfiler ses bas résille, non pas avant, mais après avoir chaussé ses escarpins.

La créature Gaultier trois-francs-six-sous se généralise. Au lycée, dans les boîtes, dans la rue. Il existe désormais un « porter » qui n'appartient qu'à lui, un *upside-down* décontracté et ludique en parfaite adéquation avec l'esprit de l'époque. Saint Laurent se trompe donc. Loin d'être importable, la robe Gaultier se fabrique, s'imite, se photocopie et s'exporte. Il est temps de penser aux hommes, ces laissés-pour-compte de l'élégance, ces affreux petits canards. Il veut offrir un *Lac des cygnes* à ces sans-abri, ces sans-look, ces sans-grade. Comment l'idée lui vient-elle ? Par projection, d'abord. « Il disait toujours : “Je n'ai rien envie d'acheter pour moi quand je fais les magasins”, révèle Frédérique Lorca. Jean-Paul chinait pas mal aux Puces et à Londres mais il déplorait la banalité du prêt-à-porter masculin, en France, dans les boutiques standard. »

En 1983, le mâle trentenaire n'est ni bobo, ni über-, ni métrosexuel. C'est bien simple, il n'existe pas. Inconnu au bataillon. Les catalogues de vente par correspondance scotchent le cadre supérieur ou l'enseignant sur quatre pages où il vante mièvrement des slips kangourou, des pyjamas en pilou, des joggings bleu de

France et des combinaisons de ski couleur citrouille. Il est clair que son épouse rédigera le bon de commande sans demander son avis à cet amateur. Pour se rendre à un cocktail professionnel, un mariage ou un baptême, Dior, Cardin et Saint Laurent s'occupent de son cas. Emballé dans un costume trois-pièces, doté d'une chemise blanche ou bleu layette qu'il orne, comble de la fantaisie, de cravates à motif équestre de chez Hermès, l'homme moderne est un homme invisible.

Comme toujours, la rue fournit une rampe de lancement clandestine, un imaginaire parallèle. Les jeunes y circulent en tribus. Le vieux clan baba a du ressort, les *Travolta boys* exhibent leurs costumes de velours frappé, les after-punks étrennent encore leurs *fly-jackets*. Dans cette configuration chaotique, la mouvance androgothique paraît la plus proche de Gaultier. Les garçons imitent la coupe de cheveux à longue mèche asymétrique du chanteur de The Cure. Les filles sont coiffées court, en pétard, archigominées. Couleur ? Rouge vermillon, orange sanguine, blond neige. Les teints sont blafards, le khôl surligne les yeux, les bouches peintes en noir, les chemises blanches flottent sur des corps asexués. Des minibottes de moto, des anneaux aux oreilles complètent la panoplie des enfants de Beineix, ces « divas » mélancoliques, dont le groupe emblématique, Indochine, rédige le manifeste androgyne. La ballade de Nicolas, leur leader, cisèle l'ambivalence, la neutralité sexuelle et le mimétisme de la jeunesse : « Je n'ai pas envie de la voir nue mais j'aime cette fille aux cheveux longs et ce garçon qui pourrait dire non. Et on se prend la main. Une fille au masculin, un garçon au féminin. »

L'inversion des genres clairement énoncée signale une disparition des schémas traditionnels de la séduction. Afficher sa virilité, exhiber ses appâts, sont considérés comme une posture datée et inhibante pour cette génération adepte du flou dans les formes. Trente ans plus tard, en 2008, Gaultier se réapproprie la rengaine unisexe d'Indochine et la glisse en bande-son du clip de son parfum « Ma dame ». Hommage à sa jeunesse, dédicace aux gothiques androgynes et intuition d'un *revival* de la punk attitude ? Tout cela est à l'œuvre puisque l'égérie de « Ma dame », le top Agyness Deyn, avec sa coupe de petit garçon peroxydé, sa morphologie et sa moue rebelle, est fréquemment assimilée à Blondie, rockeuse star de ces années de libido ambiguë. L'andro-vague permettant tous les jeux de rôle vestimentaires, Jean-Paul s'engouffre dans cette brèche et joue de son statut de créateur star qui ne cache pas son identité sexuelle. Il fait cela sans la moindre ostentation, avec un naturel confondant. Pas question pour lui de sortir du placard puisqu'il n'y est jamais entré. Pas besoin non plus d'un *outing*, il fréquente les boîtes gays et s'affiche depuis le début avec son petit ami et associé Francis Menuge. Le handicap devient un atout. Les homos ont la cote, la Gay Pride voit le jour avec l'assomption de la gauche. Jean-Paul ne revendique pas sa différence. Il la vit en actes. Ceux qui le côtoient professionnellement savent immédiatement qu'il forme avec Francis un couple dynamique. Leur premier atelier – un étage entier dans un splendide immeuble du XVIIIe siècle, sur l'île Saint-Louis – tient de la caverne d'Ali Baba : « On avait loué ce lieu gigantesque pour une misère, confie Jean-Paul. Personne n'en voulait à cause du bruit effarant que faisaient les voitures en entrant dans le parking. » A l'entrée, trônent des machines à sous. Au premier, le juke-box et le billard sont éclairés par des lustres bizarres, psychédéliques. Au milieu du va-et-vient permanent, on aperçoit derrière une porte un monsieur brun, barbu très digne, en complet-veston, indifférent à l'ambiance rock'n roll. Ce sosie de Maurice Béjart s'occupe avec efficacité de la comptabilité des deux associés. C'est le père de Francis.

Marie Claire a un coup de cœur. Catherine Lardeur, rédactrice en chef, a repéré la première le style Gaultier et en a décrypté sur des pages entières la grammaire, le vocabulaire, l'écriture, la narration. « Jean-Paul et Francis, raconte-t-elle, étaient un couple de jeunes gens qui se complétaient merveilleusement. Ils étaient intelligents, artistes avec des regards très différents sur le monde. C'est ce qui faisait leur richesse. Ni l'un, ni l'autre n'étaient dans un moule. Menuge avait fait des études de droit. Il était le plus mécano des deux. Ils veillaient constamment l'un sur l'autre et pratiquaient l'humour à haute dose et cet esprit potache s'est intégré au style de Jean-Paul. Mais s'ils étaient drôles, ils étaient aussi très pros et ils savaient ce qu'ils voulaient. Tout sauf des amateurs. » Quand *Marie Claire* demande au tandem de leur apporter leurs toilettes pour les photographier, Francis arrive au journal en patins à roulettes. Bien avant la vogue des rollers, ce genre de fantaisie ne passe pas tout à fait inaperçue. Et suscite la sympathie. Comme ils font tout à la main, avec peu d'argent et beaucoup d'idées, les premières campagnes photo sont réalisées, économie oblige, par

Francis himself. Christine Bergström, cobaye fréquemment shooté, se souvient : « Ils n'avaient pas du tout la même personnalité tous les deux. Francis pouvait être très ironique mais il n'était pas aussi ouvert sur les autres que Jean-Paul. Quand il me photographiait, il avait un œil très malin, très “renard”. »

A l'époque, un couple avance progressivement à visage découvert. Mais Yves Saint Laurent et Pierre Bergé appartiennent à une autre génération. Ils inspirent le respect, possèdent des réseaux et du pouvoir. On ne médiatise pas ces amoureux-là, on les observe avec distance, presque avec crainte, on les range dans des archives proustiennes. A la limite, ils entrent au musée. Jean-Paul et Francis, eux, n'ont que vingt-sept ans. Ils évoluent dans un Paris décomplexé, avide de liberté. Les couples homos sillonnent les Halles, réaniment les nuits de la capitale, du Queen au Sept. Il n'y a rien d'efféminé chez ces deux-là. Pas d'affectation, pas d'ostentation, leur sexualité intériorisée ne provoque aucune réaction. Colin McDowell, journaliste de mode au *Sunday Times*, note pourtant que Jean-Paul brise un tabou en affirmant son homosexualité. Avant lui, y compris dans la couture, surtout dans la couture, où les ténors pratiquent assez peu les amours hétérosexuelles, il reste de bon ton de nier farouchement, de se taire, de faire l'impasse, d'enfouir.

On prêtait des liaisons à Christian Dior mais on ne les divulguait pas. Idem pour Karl Lagerfeld, Giorgio Armani, Gianni Versace ou Valentino. La chape de plomb existe et les échotiers la respectent. Catherine Lardeur, qui devient très vite une proche de Jean-Paul, le décrit comme un jeune homme séduisant, discret, bien élevé, dénué de la moindre coquetterie. « Son homosexualité, ajoute-t-elle, était indiscernable. » Farida, elle, saisit d'emblée qu'il s'agit d'amour entre ces deux jeunes gens très séduisants qui se lancent dans la mode : « Ils n'affichaient rien. Aucune ostentation. » Et pourtant, il s'agit d'une love story qui va durer quinze ans… jusqu'à ce que la mort les sépare.

Kilt ou double

> « Il y a un interdit social sur la féminisation de l'homme. »
>
> Roland BARTHES

Le charme discret de Jean-Paul chamboule radicalement l'air du temps. Le look qu'il se concocte – coup de génie – génère un double message. Le tee-shirt rayé de petit matelot, référence au film *Querelle* de Fassbinder, est un symbole fort. La coupe en brosse et le cheveu décoloré complètent la gay touch. Pour parachever la panoplie, le port du kilt écossais ne permet plus aucune ambiguïté. A l'époque, François Mitterrand invite à l'Elysée les créateurs et les couturiers parisiens : « Francis, culotté, raconte Jean-Paul, y était allé en jupe, pas moi. Juste avant nous, le président salue Louis Féraud et lui glisse : "Je porte souvent vos cravates." Quand est venu notre tour, on savait bien qu'il n'allait pas nous dire qu'il s'était offert un de nos kilts ! » Gaultier, *in* et *out*, nature, tel quel. Son bouclier de Minerve, c'est son sourire, son humour, son empathie. Infirme en suppositions agressives, il désamorce la critique, les homophobes et les candidats au scandale. De cette méthode infaillible, Catherine Lardeur dit simplement : « Ce n'était ni un look, ni un calcul. Il trouvait que cela lui allait bien, c'est tout. Le pull marin, c'est parce qu'il adore les classiques, même Chanel en fabriquait. Il a d'ailleurs habillé son premier nounours comme ça. Elle est chez moi, cette relique en peluche toute pelée et elle s'appelle Jean-Paul. »

Parce qu'il n'a pas les moyens financiers de s'offrir de la pub, il promeut sa griffe par *body language*, sur lui-même. En visualisant trois éléments clés, on identifie immédiatement la déclinaison Gaultier. Il n'y a pas d'antécédent à une telle osmose entre un être et sa marque. Le marketing, le discours publicitaire ne procèdent pas autrement. Voir Gaultier, c'est se projeter, désirer son désir et l'esprit qui se dégage de ses vêtements. Ses marinières vont se vendre comme des petits pains : « Son look, c'est simplement la promotion de ce qu'il est », répète Farida. Voilà un couturier qui vient de la rue, qui en parle, qui use d'un vocabulaire simplissime et qui semble toujours d'une humeur de rêve. Difficile de ne pas adhérer. Gaultier, comme Cristo, emballe la capitale tout entière et le nœud est coulant. « Il est la vedette médiatique par excellence, souligne Olivier Saillard. Montana, par exemple, est sinistre en interview. Mais Jean-Paul déploie un talent incroyable en face d'un micro et d'une caméra. Il a tout de suite été très sollicité par la télévision. Il s'est révélé ultravendeur, réjouissant, excellent orateur. Il a beaucoup servi la mode en se servant de cette carte et, bien sûr, on s'est rendu compte qu'il était le meilleur porte-parole de lui-même. »

En France, on n'a pas de pétrole, mais on a Gaultier. Son concept-corps de créateur en uniforme va être imité et photocopié à l'infini. Azzedine Alaïa en bleu de travail d'ouvrier maoïste, Karl Lagerfeld en marquis des Lumières, John Galliano en pirate trash du vaisseau Dior : la peopolisation de la mode via ses créateurs est à son apogée. Ils deviennent des pictogrammes d'eux-mêmes. Œuvrant constamment au renouvellement vestimentaire pour les autres, ils décident de se figer dans une panoplie. Ils se voient comme la page blanche reposante et vierge sur laquelle ils inscrivent l'histoire de la mode. Gaultier, bien installé chez les femmes, annonce donc la couleur en médiatisant son propre kilt. *Ecce homo*. La collection « Homme-objet » voit le jour en 1984. Sur les cartons envoyés aux rédactions, figure Jean-Claude Van Damme, futur culturiste star. « Les hommes doivent accepter leur fragilité », dit le couturier, devançant d'une décennie toutes les unes des magazines féminins. « La limite entre virilité et féminité est une frontière assez floue », assène-t-il ensuite, anticipant cette fois les enquêtes de la presse généraliste. Freudien tendance Winnicott, il tente enfin cette parade : « La virilité n'est pas dans le vestiaire, elle est dans la tête », puis enfonce le clou : « Porter une jupe n'est pas un truc de travesti, un soutien-gorge, si. »

Ouf ! Sous forme de gag, la limite est fixée, il ne la transgressera jamais. Pas un de ses modèles ne sera affublé de l'illustre bustier conique. Pour le reste, à ses bodybuildés, ses machos asiatiques, beurs ou irlandais, il en fera voir de toutes les couleurs. En rose thyrien ou vert céladon, ces chanceux ont droit aux broderies, perles, liens de velours et boléros de dentelles, mis en valeur par leurs biceps huilés. C'est toute l'iconographie gay qu'il revisite. Les petits matelots de Fassbinder, les silhouettes de Village People au grand complet sont convoqués : le policier, le maçon, le motard, et même l'Indien qui croise dans un « western baroque » un cowboy uniquement vêtu d'un caleçon de bain en lycra noir, d'un Stetson et d'un bandana. Les observateurs y décèlent implicitement une apologie de la transsexualité, une saga exaltant les drag-queens, mettant en scène des travestis couture. Gaultier réfute cette vision des choses. Il ne milite pas, il déplace les signifiants. Selon lui, les codes de la séduction masculine n'existent pas et il s'agit de les inventer.

A ceux qui lui reprochent de transposer le cabaret Michou sur les tréteaux du prêt-à-porter, il réplique que ses maharadjahs, ses toréros et ses dandies plaisent aux femmes, pas aux hommes. Et si sa première jupe sur mollets poilus apparaît dans un défilé baptisé ironiquement « Homme-objet », c'est qu'il a compris, le premier, que la société mutait. Les *executive women* imposent leur business-plan. Elles commencent à régner dans l'entreprise, à exiger dans leur couple un partage des tâches. Les nouveaux pères sont prêts à enterrer leurs signes extérieurs de mâle dominant et à déposer les armes. L'inversion sémantique ne leur fait pas peur, ils veulent bien se muer eux aussi en objets, statut autrefois réservé aux femmes. Gaultier entérine et précède. C'est une seconde nature chez lui. Il n'a au fond qu'une longueur d'avance sur les mœurs.

Quelques années plus tard, Glenn Close fera subir à Michael Douglas les derniers outrages dans *Liaison fatale* et Demi Moore validera la tendance dans *Harcèlement*.

Manipulé, érotisé, instrumentalisé, le jeune Douglas, fils de Kirk, descendant direct de Spartacus et, par voie de conséquence, emblème d'une virilité indiscutable, se prête à tous les caprices de ses partenaires. Victime consentante, flexible, serviable, il donne raison à Jean-Paul. L'homme-objet existe et Michael Douglas, bête de scène hollywoodienne, le glorifie. Dans sa formidable bédé de mode, Gaultier inclut donc des superhéros, homos ou hétéros, bi, trans, hommes-enfants ou machos. Elle puise ses sources dans la culture jeune, elle télescope des séquences de l'enfance – *Les Pieds nickelés* –, des séries cultes générationnelles – *Le Prisonnier*, *Fantômas*. Ses défilés parodient des clichés : « French gigolos », « Casanova au gymnase » ou « Latin lovers ». Il recycle des blasons : « Le danseur de flamenco », « Cavaliers et écuyers ». Il s'agit de pratiquer ce second degré qu'attendent ses aficionados, d'exporter l'irrévérence et la satire, de faire preuve d'esprit. Nulle part ailleurs, on ne peut voir un éphèbe affublé de longues tresses rastas, vêtu d'une minijupe d'hermine blanche et de bottes assorties, un sublime *cover-boy* hindou, une étole de vison en bandoulière et juché sur des semelles compensées, des néo-Frères Jacques en collants vert absinthe. A ces brutes, ces gigolos, ces dandies, il ne refuse aucun des accessoires réservés aux femmes. Ils arborent des loups de dentelle noire, des voilettes grenat, des cannes de velours indigo, des bottines lacées à talons, des bracelets manchettes, des mitaines, des bagues, des éventails et leurs tee-shirts sont ornés de nœuds rose thé. Matières, couleurs, pampilles, maquillages, tatouages : rien n'est prohibé. La soie jonquille, le renard roux, le cuir prune, des diadèmes et des sequins, des boucles d'oreilles et des sacs à main s'échappent du vestiaire féminin en ultime offrande à l'homme moderne. Coup double : les défilés masculins sont prisés en raison de leur fort potentiel comique mais la rigueur des coupes, l'inventivité des formes, la richesse de l'inspiration sautent aux yeux, hissant le farceur au rang des surdoués. Son art du contraste se précise. S'il cisèle des vêtements d'un raffinement suprême, des habits de lumière lascifs qu'on imagine verrouillés dans les coffres de la Pompadour, sa ruse consiste à les faire porter par des jeunes gens d'un mètre quatre-vingt-six, des brutes de décoffrage, des voyous musclés au regard noir et à la pilosité remarquable.

Ces années-là, Tanel, arménien d'origine, sert d'amiral emblématique à la frégate Gaultier. Il a dix-huit ans et travaille comme assistant chez Gil. A l'occasion, il fait le mannequin pour rendre service. Jean-Paul Gaultier le fascine depuis la classe de quatrième, année où ses classeurs se sont ornés des photos de ses défilés. C'est le boyfriend de Tanel, le maquilleur Stéphane Marais, qui l'aide à rencontrer son idole. Le jeune fan est grand, viril, cocasse, doté d'une bouille de bébé et d'un teint mat. Jean-Paul demande immédiatement à Babeth Djian de lui prêter son assistant pour préparer ses collections. Tanel est lancé pour le show « Joli Monsieur », tout un programme. Peu à peu, il devient la muse maison.

Son visage est incrusté dans les pulls torsadés. Sa coupe à la Juliette Gréco est patchée dans la maille, exhibée dans les campagnes de pub de Mondino et la mode hommes « tanelisée » provoque partout un engouement express : « Il m'en a fait voir, mon Paulo, résume ce quadra aujourd'hui à la tête d'une agence de mannequins. Il m'a tatoué, rasé les cheveux, percingué, fait porter des talons, des extensions de cheveux et des jupons. J'ai même étrenné une robe de mariée blanche amazone avec un haut-de-forme, une traîne et une moustache ! Mais pour lui, je suis toujours disponible. Je ne me pose pas de question, je fonce. » Où l'on voit que le fameux kilt ne représente qu'une petite étape dans l'entreprise de déconstruction du vestiaire masculin. Tanel ne le mentionne même pas, cet échantillon négligeable dans la surenchère baroque. En réalité, ce kilt n'est qu'un symptôme. La crise qui sous-tend son apparition est d'un autre ordre. Elle procède du fameux « pourquoi pas ? » épistémologique qui travaille Jean-Paul au corps depuis toujours. C'est un réflexe pavlovien, une réaction systémique aux conformismes qu'il traduit par un détournement des allures. Chez lui, le raisonnement est le suivant : pourquoi une santiag doit-elle avoir un talon biseauté, un escarpin, un talon bobine ? Et pourquoi pas le contraire ? Surgissent alors une botte à talon aiguille et une sandale à gros talon pyramidal. Plus culotté : pourquoi n'utiliserait-on pas des cheveux naturels et non synthétiques pour fabriquer un haut-de-forme ? Un chapeau-tête est conçu. La doublure de satin d'un costume ferait un très beau body et inversement : les élégantes sont vêtues sur-le-champ de bustiers-smokings matelassés. Les fermoirs métalliques des cartables d'écolier sont parfaitement adaptés aux boutonnières de parka, se dit l'iconoclaste. Et hop là ! Tout le monde clippe son ciré jaune citron comme pour partir à l'école.

C'est à partir de ce remuant postulat qu'il établit sa théorie unisexe, son intuition de vestiaire interchangeable. « Il était hanté par l'idée d'égalité, s'amuse

Catherine Lardeur. Il me disait : « Pourquoi les femmes n'auraient-elles pas droit à une poche portefeuille ? Pourquoi leurs vestes ont un boutonnage à gauche et non à droite comme les hommes ? » *Alea jacta est*, zips et fermetures Eclair sont inversés, les hommes sont gratifiés de jupes, de robes et de paréos. Dans la foulée, l'étiquette ne se cache plus. Au contraire, elle s'exhibe fièrement sur le vêtement en caractères d'imprimerie gothiques. Jean-Paul Gaultier assume sa réécriture intime de A à Z, mais ce qui va de soi pour cet esprit logique épris de justice ne s'impose pas facilement dans la société acheteuse. A l'époque, Jean-Paul amuse, intrigue, plaît plus qu'il ne vend. Les sociologues se penchent sur son cas. Authentique starter de l'ère individualiste et démocratique, supergourou du sujet-roi, fossoyeur de l'aristo-mode, il étaie les thèses de Gilles Lipovetsky qui se distingue avec son essai sur les nouvelles cultures de masse. Dans *L'Empire de l'éphémère* [1], l'auteur prend acte du grand décloisonnement et de la fin du vestiaire élitaire mais la jupe pour hommes le heurte violemment : « La mode a tendance à effacer les différences d'âge et de sexe, admet-il. Les femmes portent le pantalon, les jeunes gens peuvent avoir des cheveux longs, une perle dans l'oreille, du khôl, mais dans cette société libre où les tabous ont volé en éclats, la femme peut jouer à l'homme, l'inverse n'est pas vrai. Malgré tous les efforts de Jean-Paul Gaultier, les hommes ne portent pas de jupe. C'est l'inégalité majeure. » La jupe, il est vrai, ne descend pas dans la rue mais Gaultier, têtu, reste fidèle jusqu'au bout à sa

1. *L'Empire de l'éphémère*, de Gilles Lipovetsky (Editions Gallimard, 1987).

scandaleuse idée. Depuis « Et Dieu créa l'homme » jusqu'à « Garçon, garçonne » en 2002, collection destinée « aux hommes qui s'inspirent des femmes qui s'habillent en mec », il ne renoncera jamais à illustrer l'ambivalence profonde de ses semblables. En épigone platonicien, nostalgique du *Banquet*, il est persuadé que nos âmes, d'essence androgyne, ont été dissociées par erreur. Ce doux rêveur œuvre, ciseaux en main, à l'ultime réunification des êtres !

Rock star de mode

> «Je ne reconnais plus personne en Harley Davidson.»
>
> Serge GAINSBOURG

Icône incontournable des eigthies, Gaultier façonne donc cette décennie paradoxale. Euphorique et libertaire dans l'âme, elle se maquille de noir, abuse du sépulcral, du laqué, du glacé, diva ambiguë shootée aux paradis artificiels. D'un côté, la générosité, la fête et l'esprit d'ouverture : la petite main d'Harlem Désir, les concerts humanitaires, la marche des Beurs, l'« Aziza » de Balavoine et les Restos du Cœur. De l'autre, l'inquiétude, la peur de ce mal qui court et qui avance masqué. Le sida, chuchote-t-on, est un virus que seuls les homosexuels contractent en s'embrassant ou en faisant l'amour. Le diable les montre du doigt. Tout le monde fait les frais de ce retour du médiéval. Isabelle Adjani, la première, est la victime expiatoire de la rumeur. Le bon peuple veut un sacrifice, il la déclare malade, déjà morte, elle, l'Ondine au teint pâle du Palais-Royal. En 1983, le sida terrasse Rock Hudson puis, en 1985, le chanteur Klaus Nomi. « Il n'y avait pas une semaine sans qu'on assiste à l'enterrement d'un ami », se souvient Chantal Thomass.

Dans les colonnes des journaux, la récurrence du terme « séropositif » rythme l'avancée des recherches. Le séropo est encore vivant, pas tout à fait mort. Le chanteur Jean-Louis Aubert résume la sinistre popularité du néologisme : « Tous nos copains apprenaient qu'ils l'étaient, cela les plongeait dans un état intermédiaire. Pas encore condamnés, ils s'efforçaient de jouir de l'instant, savouraient la profondeur des choses, jusqu'à quand ? » Dans la communauté gay, on s'organise, on change de pratiques. On devient fidèle ou chaste et on stocke les capotes. « Je me rappelle, raconte Tanel, que Jean-Paul me parlait beaucoup des risques du sida. Moi, j'étais un fêtard, un insouciant. Il essayait de m'avertir, me suppliait de me protéger. Il me parlait comme un grand frère. » Le grand frère oublie son inquiétude en agissant. Régulièrement, il subit des tests et constate qu'il n'est pas porteur du virus. Il relooke les serveurs du Palace en cybermarquis, chante (mal) dans un twist parodique intitulé « Aowtoudouzat ? », se fait tirer le portrait en chérubin kitsch par Pierre et Gilles, conceptualise son art du détournement et de l'interprétation des classiques dans une kyrielle de collections qui commencent à faire l'unanimité.

Côté cour, c'est un lutin qui tague les eighties de ses graffitis ludiques. Côté jardin, militant astucieux, il récolte des fonds pour la recherche d'un vaccin contre le sida, à sa manière, en magnétiseur de stars. Un jour, à Los Angeles, Raquel Welch défile pour Aids en guêpière et bas résille noirs, les bras sanglés dans des filets de déesse SM. Quelques minutes plus tard, seins nus jaillissant d'une salopette, ses boucles platines frémissant sous un béret noir, Madonna inaugure ce *red carpet* de l'AmfAR pour les beaux yeux de « *Goltière* ». C'est ainsi qu'elle l'appelle et comme cette superstar n'appelle pas grand monde par son nom, Jean-Paul supporte très bien l'approximation phonétique. A la fin, ils saluent tous les deux, main dans la main, Nicolas et Pimprenelle sur un nuage hollywoodien. Quand il visionne cette photo, ses pupilles rétrécissent, têtes d'épingle noires dans l'iris bleu lagon. La fascination du Pygmalion est palpable. Que voit-on sur ce cliché ? Un adolescent dévorant des yeux une diva inaccessible, l'hommage d'un ver de terre à une étoile, ce que Gaultier traduit en ces termes : « Je la regarde, elle a l'air de vouloir se mesurer aux mecs, de ne pas se satisfaire de son statut de bombe sexuelle. Cette fille est un macho ! » Le macho le plus sexy du monde va entrer dans sa vie, rouleau-compresseur de charme, killeuse en bustier, et tout chambouler. Il ira jusqu'à demander sa main ce qui, pour un homo, n'est pas rien.

A ce stade, un flash-back s'impose. L'apothéose madonnesque n'est que l'aboutissement logique d'un long processus. Génétiquement, historiquement, structurellement, Jean-Paul est un fan. « Une midinette », corrige Frédo Lorca. Ses exercices d'admiration remontent à l'adolescence. De ses week-ends prolongés à Londres, capitale acoustique, il garde la trace d'une culture pop, punk et glam. Il y écoute pêle-mêle les Clash, David Bowie, Frankie goes to Hollywood, Sid Vicious, Elvis Costello, Blondie, Madness, Duran

Duran ou Lou Reed et T. Rex. Eclectique, il couple hard-rock et variétoche, marge et consensus, à l'image de ses créations. L'aspect « son et lumière » de ses vêtements, il le doit à son imprégnation musicale, un singulier patchwork de Folies-Bergère, de cancan et de maquillage néotribal façon David Bowie grimé en Ziggy Stardust. Jean-Paul opère la synthèse de toutes ces influences dans sa centrifugeuse intime. Il ne trie pas, il additionne, incorpore, télescope. Au dégraissé, il préfère l'hypercalorique à la nouvelle cuisine minimaliste, les maxitripes, la cervelle et le cassoulet. L'agressivité famélique de Mick Jagger et la candeur musette d'Yvette Horner sont stylistiquement compatibles, selon lui. « Pour bien comprendre sa manière de fonctionner, révèle Farida, il faut savoir qu'il a horreur de tous les sectarismes. »

En avant donc pour le collage multiforme qui exclut les choix élitistes dictés par le snobisme ou le prétendu bon goût. C'est ainsi qu'il rate l'affaire des Stones. Contacté par eux, il décline l'offre de les habiller au prétexte qu'ils avaient mis en concurrence plusieurs créateurs. Péché d'orgueil ? Probablement. Il se rattrapera avec Madonna. Ses rêves de gosse prennent d'ailleurs corps. Après Nana, peluche cobaye déguisée en Marilyn ou en reine Fabiola au fil des événements, Sade, Béatrice Dalle, Isabelle Adjani, Catherine Deneuve, Kylie Minogue, Mylène Farmer et bien d'autres nanas charnelles vont suivre. Chef de file des poupées-mannequins ? Catherine Ringer. Le clip « Marcia Baila » promeut un tandem délirant, un tempo sud-américain saturé de rock et un texte herméticoentêtant. Déferlant sur les ondes en 1983, Ringer, teint farineux, silhouette remuante moulée dans la robe corset JPG, s'affirme d'emblée comme l'ambassadrice sexy et givrée de la griffe. Lui est fan de cette tigresse hautaine et sibylline à la voix tropicale et au débit toqué : « Catherine est un être exceptionnel, elle sait exactement ce qu'elle veut. Dans mes collections, elle puise et mixe. Sur scène, c'est une espèce de Piaf à la gestuelle fascinante, estime-t-il, et les Rita Mitsouko sont le groupe français le plus créatif du moment. » Indéfectiblement fidèle aux Rita, Jean-Paul dédiera sa collection hommes à Fred Chichin l'année de sa mort, en 2007. La réalité ressemble soudain aux soirées télé devant Maritie et Gilbert Carpentier, rue Pasteur, chez sa chère Mémé. A l'Olympia, au Casino de Paris, Jean-Paul va habiller Sylvie Vartan « comme un garçon » et Johnny Hallyday plutôt comme une fille, une Sheila secouant sa naphtaline yéyé et un Julien Clerc tout scintillant. Mais sa plus étonnante recrue est sexagénaire. Antidote efficace au jeunisme ambiant, vedette populaire des guinguettes de Nogent, gloire du music-hall de papa, Yvette Horner, robuste pendant féminin d'André Verchuren, vestige flonflon début de siècle, va matérialiser sa mode d'avant-garde.

A première vue, la rencontre d'Yvette et de Jean-Paul est aussi improbable que celle de la machine à coudre et du parapluie de Lautréamont. En creusant un peu, leur rapprochement n'a rien d'artificiel. Dans le répertoire d'Yvette, il y a les tubes de Piaf, les succès de Montand, les fanfaronnades de Chevalier, les roucoulades de Lucienne Boyer, les poignantes complaintes de Damia. On y croise des gigolos sur le bitume, des bottes de moto, des petites robes noires à trois sous, tout un microcosme parigot agissant comme un puissant stimulant sur l'imaginaire de Gaultier. Dans leur chanson de geste commune, quelque part, une fillette en guenilles rassemble ses économies pour offrir des roses blanches à sa maman. Enfant, Jean-Paul est au bord des larmes quand Yvette joue. Adulte, il cultive la mémoire de sa grand-mère qui maniait aussi l'accordéon. Yvette Horner fait valser des marins en perm à Nantes, scelle des idylles de 14 Juillet. C'est un ange gardien.

Ils sont du même monde, héritiers de l'épopée de La Belle Equipe et du Front populaire. Cinquante ans les séparent, l'une chante et l'autre pas. C'est tout. Mais ce premier degré affectif, cette connivence primaire et primale, ses fans vont l'ignorer avec ironie, sur le mode caustique de ceux à qui on ne la fait pas. L'hypermode individualiste et provocante ne peut décemment hisser le pavillon Horner sur sa marmite toxique. Gaultier, se dit-on, manie là un revolver parodique, flirte avec l'humour kitsch. Ce genre de quiproquo l'arrange. Il se tait, attend, laisse passer la vague du vaudeville. Nulle part, on ne trouvera d'allusions vachardes, pas le moindre quolibet sur sa nouvelle égérie. Sommé de s'expliquer, il lâche bienveillant : « Yvette est un souvenir d'enfance, elle était la vedette du "Monde de l'accordéon". Voilà un personnage authentique. A la fois humaine, gentille et drôle, c'est une vraie extravagante qui incarne une version de l'excentricité à la française. J'ai adoré lui faire des costumes pour son spectacle avec Maurice Béjart parce que c'est une vedette qui ne correspond pas aux canons esthétiques de la mode. En outre, je l'intéresse, ce qui est charmant. »

Du lard ou du cochon ? Ni l'un ni l'autre. A Horner, il adhère. Dépositaire d'une fabuleuse poupée de fête foraine, l'enfant terrible attaque la boîte d'emballage défraîchie, bousille le gros nœud rose, étrangle les volants, froisse les smoks et défrise la permanente. Avant l'ouverture du paquet-cadeau, le trophée de tombola est décrit tel quel par Matthieu Galey dans son *Journal*. Critique à *L'Express*, assistant à son numéro au Casino de Paris, il découvre, prodigieux spectacle, « Yvette Horner, en pyjama rose bonbon bordé de strass de la même teinte que les plis de son accordéon. On dirait un Goya, masque usé de fée Carabosse surmonté d'une énorme tignasse noire. Qui n'a pas vu cette maja cacochyme jouant "Vévette-Musette" ne sait pas ce que c'est que le bonheur du music-hall ».

Galey et Gaultier sont sur la même longueur d'onde, entre l'effroi et la fascination. Orner Horner, challenge hyperbolique, consistera donc à revisiter son kitsch historique avec respect, comme on restaure une cathédrale de papier mâché. Un peu plus de strass, des robes moins macaron, des manches pagode qui semblent aspirer tout entière cette miniature et le tour est joué. Yvette s'en sort mieux avec Gaultier que les colonnes du Palais-Royal revues par Buren. L'épisode marque pourtant les esprits. Des observateurs avisés conseillent des muses moins musette, plus tendance. Il entend mais n'en fait qu'à sa tête, ne calcule rien, marche à l'instinct. « Têtu comme un âne », disent tendrement ses assistants essorés. Un fil solide relie pourtant Catherine Ringer à Yvette Horner. Ce lien est celui du goût populaire. A trois générations d'écart, on les écoute dans les mêmes lieux : bals populaires, bistrots parisiens et grandes surfaces. C'est au cœur et à l'oreille, organes socialement humbles, que Gaultier fonctionne.

Sur la pointe des pieds

« Avec ses vêtements ondoyants et nacrés, même quand elle marche, on dirait qu'elle danse. »

Charles BAUDELAIRE

Rare exception à la règle : Régine Chopinot, danseuse et chorégraphe pointue. Leurs affinités électives débutent en 1980. La danse contemporaine s'adresse alors aux initiés et comme Jean-Paul, jamais, ne vient chercher personne, c'est Régine qui fait, sans chichis, le premier pas, en lui demandant d'habiller toute sa troupe. Tout semble indiquer qu'ils sont gémellaires sans se connaître. Elle, silhouette aiguë, visage fin, coupe de garçonne, brune à grosse frange blonde, semble tout droit sortie de ses cartons à dessins. Indifférente au raz de marée Merce Cuningham, Chopinot propose des mises en scène cocasses, antiacadémiques, mixant postures burlesques et thèmes tabous. Elle aime « les choses ratées au bord du déséquilibre », lui défraie la chronique avec ses robes-poubelles et ses mises en scène sans dessus dessous. Ses danseurs, elle les recrute « à l'intelligence », les modèles de Jean-Paul sont castés au feeling. Chopinot et Gaultier sont analogiques. Cerise sur le gâteau : l'un craint de faire trop « mode », l'autre trop « danse ». Tout semble les rapprocher sauf la faible appétence du créateur pour l'univers de l'entrechat. Interrogé sur l'art noble, il lâchera, proustien : « La danse est un ennui qui habite quelques cathédrales gothiques montées sur pointes. » Chopinot passe outre et décroche son téléphone. Jean-Paul a rendez-vous chez elle où le coup de foudre artistique a bien lieu : « En dix minutes, on avait l'impression de se connaître depuis dix ans », dit-elle. Leur union justaucorps génère un pas de deux complice. Ensemble, ils montrent « Délices », « Grands Rats », « A La Rochelle il n'y a pas que des pucelles », six collaborations avant ce « Défilé » si bien nommé puisqu'il ratifie l'hymen de la mode et du ballet, disciplines dévouées au mouvement des corps et à la célébration de l'allure. Ils s'inspirent mutuellement, mettent en commun leurs chimères, éprouvent leur fantaisie dans un corps à corps productif. L'atelier Gaultier, fourmillant de tulles, d'imprimés, d'accessoires loufoques, stimule les idées chorégraphiques de Chopinot. Et vice versa : avec eux la mode bouge et la danse se sape. Rejouant la scène primitive des années folles où Gabrielle Chanel stylisait les créations de Diaghilev, Chopinot et Gaultier offrent leurs « Ballets rosses », hapenning haché, boxé, acidulé, où les rôles et les genres sont inversés. Cette fois, la costumière est un homme, le chorégraphe une femme. Présenté en 1985, au Pavillon Baltard, au milieu de centaines de fans hystérisés par ce couple androgyne idéal, le « Défilé », balai-brosse ubuesque, contient en germe toute la stylistique de Gaultier. C'est un *comic book*, un album distillant dix ans de trouvailles, le manuscrit palimpseste du futur vestiaire de ces dames. Deux mois de répétitions, un travail acharné, Régine et Jean-Paul ne font rien à moitié : « La structure de mon spectacle, précise-t-elle, est celle d'un défilé avec des passages de groupes de danseurs sur un plateau en T, comme pour la haute couture. Mais j'ai perverti la marche : mes danseurs avancent à quatre pattes, traînent leur cavalière sur un pied, se dandinent… Jean-Paul fait des croquis, moi des caricatures. »

Ce qu'il ignore encore, c'est que ces petits rats désarticulés, ces tulles bouillonnés, ces cuissardes en satin lacées, ces crinolines en tricot, ces boxers matelassés, vont entrer au musée. En mars 2007, la fantasmagorie déclinée en cent toilettes fera l'objet d'une exposition au musée des Arts de la mode. *A priori*, c'est tout ce qu'il déteste. Il passe son temps à expliquer qu'il n'est pas un artiste, à refuser l'appartenance à une avant-garde, à travailler pour être porté et non contemplé. Raté : à son insu, le voici encensé jusqu'à l'embaumement. Rue de Rivoli, son « Défilé » immobile témoigne, vingt-deux ans après, de la délirante modernité de ses créations. Selon Olivier Saillard, commissaire de l'exposition : « On le voit libéré de tout objectif financier et commercial. Ici, c'est la danse qui est le mécène de la mode. Il a pu imaginer une garde-robe complète qui n'a que faire du porter quotidien. Et pourtant, il va influencer durablement toute une génération de créateurs des années quatre-vingt et quatre-vingt-dix. La liberté de ton et d'allure, les associations insolites, dévastatrices et pleines d'humour préfigurent plus d'une décennie de mode à venir. Il est impossible de ne pas penser à John Galliano, puis Alexander McQueen dans les propos provocateurs et décadents du "Défilé". »

Chopinot fournit donc la matière – la danse classique – et Jean-Paul la dévaste. Il s'attaque en priorité au tutu, le flanque d'un Perfecto et de Converse délacées. Depuis le XIXe siècle, symbole de grâce et de discipline, il flotte dans l'imaginaire des fillettes, couronnement de la patience ascétique et de l'effort monacal. Tulle en tarlatane, blanc neigeux ou rose fané, allégorie du gracieux petit rat, il préfigure le chandail en mohair et le plâtre qui assouplit les pointes. Sacralisé depuis deux siècles, l'objet froufroutant subit un brusque bizutage bouffon. Gaultier désolidarise d'abord les trois éléments fixateurs : la trousse, le bustier et le jupon font scission. Les volants se superposent sans dégradé ni cranté, le plissé tuyauté en fraise sert de soutien-gorge, de jabot à une redingote d'homme, de bosse ou de prothèse. C'est un tutu-tuyau de poêle. Sa forme circulaire conçue pour l'harmonie des sauts de chat et des arabesques est détournée en triangle, en carré, au mépris des lois physiques. Il est rouge et riquiqui ou noir comme le tablier d'une veuve corse.

Les chaussons, instruments de supplice quotidien, sont réduits à des tongs de plastique enserrant l'orteil. Les collants deviennent des cottes de mailles, des transparents révélant la nudité des corps, des trompe l'œil suggérant par défaut tous les secrets de l'épiderme, du tatouage à la scarification. Cette seconde peau de la danseuse classique, baptisée « académique », se propulse en attribut ludique, baroque ou tragique, selon l'humeur. En grosse laine tricotée façon skieur, patché de pièces de dentelle noire, orné de paillettes imitant la carnation des seins, frangé de perles, il déshabille plus qu'il n'habille. Reste le sage chignon de la ballerine : trop chichiteux, Jean-Paul le chahute en calotte attachée par une jugulaire sous le menton, occultant la chevelure et ceinturant le visage. Il évoque le bonnet de bain d'Esther Williams, version piscine municipale d'Arcueil. Et comme paraphrase de la discipline tortionnaire qu'est la danse, Jean-Paul propose un passage intitulé « Manque d'air » où Régine Chopinot apparaît emmaillotée, sanglée, étranglée dans l'un de ces corsets dont il a le secret.

Zoomons un instant sur ce cruel dessous. Les impressionnistes le captent en clair-obscur, Zola aime à peindre Nana enfilant sa carapace de cocotte, et Proust surprend Odette, dissimulant son corset sous la soie de son peignoir, au moment où Swann apparaît prêt à le délacer. Il est le fidèle lieutenant du french cancan, l'ami retors des libertins, l'alcôve des confidents. C'est Paul Poiret qui rompt définitivement ces liaisons dangereuses en 1910. La lingerie prend le relais mais le fantasme demeure. La firme Playtex cuirasse des gaines et des soutiens-gorge en armée de réserve. Surpiqûres, empiècements, baleines, attaches, agrafes, œillets : le front du buste résiste encore à tous les attaquants. Jean-Paul a vu mille fois la gaine de Mémé Garrabé dépassant d'un gilet déboutonné. Cet instantané couleur chair de la féminité démasquée forge chez lui un imagier érotique au second degré. Conscient de la libération opérée par la Grande Mademoiselle dans les années vingt, il va réintroduire les formes, souligner les contours du désir, en partant du principe que la femme n'est plus un objet. Dès lors, c'est elle qui décide de jouer avec son corps, de mettre en valeur ses appâts. Il organise alors une orgie de lingerie dont on s'enivre. Porte-jarretelles, guêpières, bustiers signalent une volupté agressive. Emergeant du dessous, le corset devient un dessus qu'il flanque d'un abat-jour de plastique noir sur lequel est posé une housse frangée japonisante. Ainsi vêtue, Régine défile, vamp illuminée.

On constate aujourd'hui que la grammaire complète du dressing Gaultier s'est édifiée ici. La collaboration entre la femme de scène et le couturier donne naissance aux fondamentaux de sa griffe. Inaugurant ce « Défilé » très spécial, le danseur Poonie Dodson arbore une cape géante de taffetas noir où une cinquantaine de montres Swatch sont brodées serré. La coupe et le gag. Régine en minijupe présente, elle, la tenue-phare du créateur, la veste ajourée, largement découpée sur le buste et les seins, libérant un soutien-gorge obus en… osier ! Au programme : des cagoules sérigraphiées, des redingotes en gabardine ourlées de volants de dentelle noire au poignet, des vestes en ottoman ornées de photographies warholiennes peintes et thermocollées, des bicornes en paille tressée, des peignoirs de boxeur en satin violine à message codé sur lesquels on peut lire « Poids chiche » ou « Allonzo Plumard », des cyclistes lacés multicolores, des turbans surmontés de croix, des blousons en serge garnis d'ex-voto, des bonnets à effet perruque, en résine et en faux cheveux, des télescopages héroïques entre la Renaissance et le monde de la boxe, la Chine impériale et le heavy-metal : Gaultier sculpte son bas-relief au marteau-piqueur.

Son fameux cogito « Pourquoi ça et pourquoi pas le contraire ? » fonctionne ici à plein régime dans un déluge chromatique de rouge magenta, de marron rouille et de vert sapin, ses couleurs fétiches. A la folie visuelle, il ajoute un discours humoristique, un art de la légende ironique et une matrice de jeux de mots empruntés à l'almanach Vermot. « Cointreau m'en faut » illustre un tableau où les accessoires font tituber les danseurs et sur leurs chapeaux-parapluies apparaissent les étiquettes de la fameuse liqueur. « Fenêtre sur corps », hommage bouffon à Hitchcock, présente des hommes en combinaison moulante, dissimulant des miroirs sur leurs fonds de culotte. Un sketch prémonitoire intitulé « Accessoires encombrants » montre des sacs Kelly surdimensionnés et des carrés Hermès bécassons. « J'ai toujours rebondi sur les associations de mots, leurs sens caché ou absurde, confie Jean-Paul. Par exemple, l'expression "Il y a du monde au balcon" m'a inspiré une série de corsages décolletés très sexy où étaient incrustés à la naissance des seins, une dizaine de petits bonshommes égrillards agrippés à une balustrade. » Il raffole des blagues à deux balles. La rédactrice de mode Melka Treanton en fait d'ailleurs les frais. « Je ne pouvais pas m'empêcher de faire circuler l'histoire suivante : Monsieur et Madame Tréanton ont une fille. Son nom ? Melka. Pourquoi ? Parce que "Mets l'camembert au frais !" » Potache incorrigible, ses lapsus sont réputés. Il dit « géniant » pour génial et géant, et « téléoscoper » pour télescope et télévision, contractant toutes les syllabes, économisant trois phonèmes par seconde, en locuteur accéléré. Brèves de comptoir, vaste rigolade, festival de calembours !

Dans un univers hiérarchisé où les classifications importent – saisons, fonctions, homme, femme, junior –, Gaultier pulvérise en pionnier tous les repères, introduisant un désordre culotté et une euphorie perpétuelle. Multiethnique, métissée, infantile, irrévérencieuse, provocante et jubilatoire, sa mode pataphysicienne anéantit toutes les grilles de lecture existantes. Marginale, précise, affamée de nouvelles façons d'occuper l'espace, Chopinot a permis à Gaultier de propulser son rouleau compresseur, sa machine à perturber le temps. De lui, elle dit avec tendresse : « Nous sommes issus de la génération *no future*, une génération que l'on ne pourra jamais cloner. Jean-Paul a cette double capacité de penser le costume et le mouvement. C'est un architecte du corps, un champion de la couleur qui fabrique de la pensée [1]. » Chez elle, il prise l'indépendance, la volonté, la rigueur, l'anarchie et le sens du combat. Son goût pour les fonceurs se précise. Autour de lui, tout le monde le décrit d'ailleurs en kamikaze.

1. Dans *Libération*, 23 mars 2007.

Des bleus à l'âme

> « Mon point d'ancrage est d'avoir été le fils unique de ma mère. »
>
> Yohji YAMAMOTO

Les années quatre-vingt l'ont habillé d'un manteau de gloire. Alpaga fuchsia, col de vinyle, poches en strass : tout ce qu'il touche alors se transforme en geste de mode. Ses déclarations font mouche, il plaît, possède le savoir-faire et le faire-savoir. La concurrence est ratatinée, les pages de magazines féminins tirebouchonnent Jean-Paul à grand tirage, les rubriques people rapatrient son sourire banane et ses kilts d'Ecossais de Paname. Recto : champagne et Perfecto. Verso : sa vie est une vallée de larmes. La doublure de la cape scintillante est noire comme un linceul. Avec la politesse du désespoir, l'homme dissimule ses revers, verrouille ses ténèbres. Né pour organiser la fête, redistribuer les cartes de la frivolité, Jean-Paul ne dit rien de ses terreurs intimes. « La gloire est le deuil éclatant du bonheur », écrit Madame de Staël.

Le premier chagrin est sanguin, viscéral, mémoriel. Il véhicule des mots doux enrobés dans la poudre de riz. Mémé Garrabé a quitté la rue Pasteur pour une maison de retraite à la périphérie de Paris, ni belle ni laide. L'enchanteresse, l'élégante, la joyeuse n'a plus toute sa tête. Le petit-fils sait bien qu'elle est déjà en partance. C'est à peine si l'ensorceleuse, celle qui savait d'instinct que le petit irait loin, comprend que son Rubempré aux yeux bleus a déjà conquis Paris. Dans un tiroir de la chambre, sont rangées les coupures de presse le concernant mais Jean-Paul voit bien que le cerveau a déserté le cœur. Les paroles d'opérette se sont tues. En 1978, deux ans après son tonitruant prologue du Palais de la découverte, le visiteur du jeudi perd sa grand-mère adorée. Il sait comment survivre à cette disparition, il fait ce que font les poètes, les peintres, tous les artistes. Il inscrit la vieille dame fantasque dans son corpus. Ses déshabillés, sa façon de porter une gaine saumon, ses manières de bas, ses coiffures inspirées reviennent en paradigme affectif dans toutes ses collections.

Ceux qui travaillent avec lui entendent parler de Mémé Garrabé chaque jour. Aux journalistes, il a inlassablement raconté le papier peint couleur rouille, le secrétaire XVIIIe, le grand miroir, la cheminée, les deux candélabres. Et, dans cette chambre où il dormait, avec elle, lorsqu'elle le gardait, son petit, son unique, son chéri, il y avait la grande armoire aux merveilles. Ils en extirpaient des soies et des foulards, des dessous, des flacons, des chapeaux à plume, des gravures, des lettres. Sanctuaire d'Arcueil. Marie avait les moyens de s'offrir un poste de télévision, pas les parents de Jean-Paul. C'est donc chez elle, meilleure amie, meilleure aimée, qu'il visionne les trouvailles éclectiques de l'ORTF. Avec Mémé, il commente : les énigmatiques apparitions de Godard à « Dim Dam Dom », les pantalons pattes d'ef de Sylvie Vartan, les robes métalliques de Paco Rabane transcendées par Françoise Hardy. Ils ont falbalé, belphégoré tous les deux à qui mieux mieux. C'était de l'amour documentaire, de la tendresse pédagogique, du goûter culturel en noir et blanc. Parfois, il lui faisait une couleur. Mémé-câlin acceptait de se montrer ensuite dans les rues d'Arcueil avec un Diacolor myosotis. C'est bien simple. De Jean-Paul, elle tolérait tout.

La cousine Evelyne, côté paternel, est assez impressionnée par la personnalité autoritaire de Marie Garrabé. Elle ne comprend pas la relation fusionnelle de ces deux-là : « Il préférait sa compagnie à celle des autres, de tous les autres. Je crois qu'elle lui passait tout et que ses parents étaient tout de même un tout petit peu plus sévères. Moi, je craignais son regard fixe, si pénétrant. Mais pour Jean-Paul, c'était une déesse. » Le chagrin est surmonté par l'activité débordante de cette année-là. Arcueil est déjà loin. La vie s'organise à Paris avec des soucis concrets : trouver des fonds, des mécènes, des partenaires. Continuer à créer avec trois francs six sous, entretenir la baraka et la cote médiatique. *Libération*, *Marie Claire*, *Elle* : toute cette presse soutient le débutant qui révolutionne les formes et les mœurs. Et puis, Francis est là, à ses côtés. Son amour, son seul amour.

Trois années passent à toute allure. Et la seconde onde de choc s'abat, en 1981. Elle est contre nature, tragique, révoltante. Rien n'annonce cette fin précoce. Aucun signal tangible. Solange est victime d'une maladie vasculaire. Une embolie l'emporte brusquement. Elle rejoint Marie, sa mère. C'est une trop jeune maman qui meurt. Deux anges gardiens qui le quittent, coup sur coup. Jean-Paul n'a pas trente ans. Evelyne voit son cousin en proie à un désespoir filial chargé de remords, de regrets : « Il me disait : "Je n'ai pas su prendre le temps de la voir, de la gâter, de la connaître. Au fond, c'est pour elle que je voulais réussir. Elle n'aura connu que les débuts de mon aventure." » Comme toujours, il avance, se réfugie dans le travail, s'en remet au calendrier abrupt des collections qui abolit tout, douleur et doutes, en installant une paralysie du sens et de la mémoire. Fuite en avant, anesthésie de la conscience : les grands travailleurs colmatent. Ils pensent ainsi échapper à la culpabilité des mortels. En réalité, ils temporisent, concluent un pacte éphémère avec le destin en feignant d'ignorer que le deuil les rattrapera. Car l'absence de l'être aimé se manifeste par morsure de la chair au moment où on l'attend le moins. Les cauchemars se multiplient. Il souffre de Solange dans son sommeil. Ses nuits sont plus dures que ses jours.

Il lui reste Evelyne, la cousine, la complice, la siamoise, la sœur de lait née six mois après lui. Mais ces années-là, mariée à dix-neuf ans, à un macho assez peu disposé à s'afficher avec un couple d'homos lancés dans la mode, aussi brillant fût-il, elle ne voit guère Jean-Paul : « Pierre faisait des remarques déplacées en présence de Jean-Paul et de Francis. Si bien que nos sorties se sont espacées. Lorsque je rendais visite à mon cousin, c'est Francis qui disparaissait, il n'avait pas très envie de me voir, je représentais peut-être la famille, un ordre moral qu'il tenait à distance. » Alors Evelyne ne joue pas son rôle de cousine préférée, ne réussit pas à consoler le compagnon de jeux de l'enfance et s'en veut : « Je savais qu'il souffrait terriblement de la mort de sa mère. Mais d'un autre côté, il avait son propre amoureux. C'est lui, me disais-je, qui l'accompagnait dans son chagrin. »

Quant à Paul Gaultier, le père, il traverse une période de grave dépression. Veuf ? Inconcevable. Seul, privé de Solange ? Paul ne veut pas, ne sait pas survivre. Broie du noir. A tel point que son frère le persuade de quitter Arcueil et de le rejoindre en Dordogne, où lui et sa femme, les parents d'Evelyne, ont pris leur retraite. Toute sa vie, Paul a roulé sa bosse au son des sambas. C'est un séducteur, un danseur de salon, un roi du paso doble, du rock, de la rumba, qui orne son quotidien de comptable de mélodies sucrées et de swing. Paul danse, virevolte, oublie les rangs de chiffres en additionnant les tangos. Habits de lumière, femmes renversées, cambrures, essences de violette et gomina, boules qui scintillent au plafond et parquets brillants. On achève bien les chevaux.

Sa génération a applaudi Rudolph Valentino, l'orchestre de Ray Ventura, les opérettes de Francis Lopez, les tubes ensoleillés de George Guétary, Dario Moreno et Gloria Lasso, les standards de Nat King Cole, ceux de Cole Porter et de Gershwin. *Tap-dance*, Fred Astaire et Gene Kelly, harmonica, accordéon, violons, castagnettes, flamenco : tout lui va. Deux pas de mambo et il s'envole aux bras d'une partenaire souple, docile, douée. Talons aiguilles et mantilles. Il est beau, attire tous les regards. Grand, mince, musclé, cheveux cendrés et regard bleu Hollywood, c'est un homme fatal. Solange est raide dingue de son Bel Ami. Jamais elle ne danse avec lui. Elle préfère observer, admirer, flatter son ego. Elle sait si bien s'y prendre, le met toujours en valeur, lui qui défie l'équilibre, chavire, zigzague, fausse compagnie à sa ravissante et parfaite épouse le temps d'un pas de deux mais qui toujours revient au bercail, l'œil qui frise et la tête remplie de cha-cha. Qui dira la grâce et la métis nécessaires pour garder un crooner ? Solange, amoureuse, est discrètement vigilante, semblable à Signoret, couvant du regard Montand, son incorrigible charmeur. Elle ressemble aux partenaires féminines de Gabin, beau parleur en costume croisé ; les chavirant toutes, de la Courcel, *Marie du Port*, à la Morgan du *Quai des brumes*. Mais Solange, la mère tendre, la compagne comblée, part tôt, trop tôt. Elle n'avait que cinquante-trois ans.

En Dordogne, Paul, homme à femmes, rencontre Sylvette. Ce qui les réunit ? La passion des concours de danse. Ensemble, ils ondulent en rythme vers la gloire. Sylvette n'a pas l'élégance innée de Solange mais elle réanime l'inconsolable. Il reprend goût à la vie. Ce n'est pas un couple, c'est un binôme, un tandem qui se tient chaud au cœur, à bras-le-corps. Taxi boy, Taxi girl. Jean-Paul prend mal la chose. « Toujours ce remords qui le tient de n'avoir pas assez partagé de moments forts avec ses parents », explique Evelyne. Pourtant, dès les premiers temps de la notoriété, l'argent entrant enfin dans les caisses, le fils prodigue leur fait la tournée des grands ducs. La Tour d'Argent, le Grand Véfour, le restaurant de la tour Eiffel, avec son ascenseur magique et Paris by night, aux pieds des dîneurs ! Paul et Solange écarquillent les yeux, comme des gosses. Arcueil, ce n'était pas les faubourgs de Londres de Dickens, mais on vivait modestement. Les grandes tables y étaient réservées aux nantis. Le plus souvent, son oncle et sa tante, René et Louison, font aussi partie de la nouba. « Ils étaient tous tellement fiers de Jean-Paul, de sa réussite ! » Or, la fête est finie, on range les tréteaux. Mémé Garrabé est partie, Solange aussi et Paul, lui-même, ne se sent plus très bien.

Dilemme cornélien : d'un côté, le fils saisit bien que son père a besoin de distraction, que cette Sylvette n'est pas méchante, que son rôle est secondaire. De l'autre, il n'admet pas qu'on puisse remplacer sa mère, surtout pas au sein du foyer familial, même si le changement de décor redéfinit le paysage initial et l'annule. La Dordogne, ce n'est pas la banlieue parisienne. Les souvenirs sont restés enfouis rue Berthollet. Qu'est-ce qu'un enfant unique ? Un petit être original qui exige l'exclusivité dans le contrat affectif. C'est toujours lui qui en rédige les termes, à son profit. L'amour maternel et paternel lui sont garantis, à lui et à lui seul, le divorce est exclu, le remariage de l'une ou l'autre des parties, aussi. C'est un redoutable notaire en culottes courtes. Mais le psychanalyste des contes de fées, Bruno Bettelheim, précise que l'unique est aussi inexplicablement jaloux. De qui ? D'hypothétiques rivaux, de fantômes. Il veut être le royal aimé des deux autres. En général, il réussit assez bien son coup de force. Sauf que, chez les Gaultier, la mort de Solange vient fausser les règles du jeu.

Pulvérisé, le triangle. Anéanti, réduit à rien, une peau de chagrin. Un père qui souffre, un fils qui saigne en silence. Alors, Jean-Paul prend sur lui, admet, entend le mieux-être de Paul, l'entérine. Un soir de Noël, il fait venir le nouveau couple à Paris, en goguette. Cicatrice collective, catharsis et nappes blanches. Jean-Paul, Paul et Sylvette : le trio est bancal mais il a le mérite d'exister, parenthèse éphémère, trêve de décembre. « Heureusement qu'il a eu ce geste d'acceptation vis-à-vis de son père, estime Evelyne. Sinon, il en aurait eu le regret toute sa vie. Car mon oncle souffrait aussi d'une terrible maladie. Il meurt en trois mois, le printemps qui suit ce voyage à Paris. D'un cancer, foudroyant. » Le sémillant Paul Gaultier était si populaire, au village, que cinq cents personnes sont venues à son enterrement.

1989 : l'unique est donc seul, rivé à son statut tragique d'enfant abandonné. La douleur est orpheline, interne, non exprimée. Alors, le crayon magique efface les plaies comme il peut. Les croquis surgissent. Avec eux, le désert se peuple de silhouettes qui se métamorphosent en mannequins, idoles admirées dont on voudra imiter l'allure. Les robes vues s'arracheront dans les boutiques. Aidé de Francis, il recrée un monde acceptable, portable, tangible, humain. Au vide existentiel, il substitue du sens. Est-ce pour se prouver qu'il est encore vivant, seul héritier du nom ? Jean-Paul signe ses toilettes. Ce faisant, il abolit l'antique usage consistant à dissimuler le nom du couturier à l'intérieur du vêtement, à l'endroit du col, au cou de la cliente, stratagème hâtif, vaguement honteux, simulacre d'identité. Partout, il impose le « dessous dessus » : le soutien-gorge sur le pull, les bas sur les escarpins. Et la théorie vaut pour l'étiquette. Jean-Paul Gaultier apparaîtra en caractères d'imprimerie et en vedette sur ses créations.

L'homme-sourire est sous les flashes, la polka des zygomatiques, au point. L'affaire tourne bien. Mais le drame rôde. Francis, l'être aimé, est malade. Les analyses, affreuses lettres de cachet qu'on déchiffre en pleurant, n'offrent que de mauvaises nouvelles. La décennie s'achève en visites à l'hôpital. L'hôpital, encore et toujours. Ces corridors de l'angoisse, ces blouses blanches si peu couture, ce monde clinique, ennemi génétique de la frivolité, édifié pour en limiter la nature et les effets enivrants. Le principe de réalité y règne en despote. Pour le principe de plaisir, Jean-Paul abdique de toute façon. Et encore une fois, il encaisse en silence. Tanel, le mannequin maison, le fidèle, l'ami de toujours, le complice des soirs de fête a le plus grand mal à l'arracher à sa peine, à distraire l'isolé. Plus de petits bistrots dans le Marais, plus de Boy, plus de Queen, plus de papotage et de fous rires. « Il était méconnaissable, mon Paulo, lâche-t-il, la gorge soudain serrée. Je le voyais, mais les paroles ne venaient pas. C'était difficile de l'aider, de l'entraîner, même pour boire un verre, un quart d'heure. » Frédérique Lorca, l'élégante muse et assistante couture, le premier « choc » visuel de Jean-Paul, le voit aussi plonger dans la solitude et l'angoisse : « C'est un drame personnel qu'il a suivi jusqu'au bout, accompagnant Francis jusqu'à la fin. Ces années-là, ils s'envolaient tous les deux vers la notoriété. La maladie a empêché Francis de réaliser que Jean-Paul allait travailler avec Madonna, leur star adorée, leur fantasme commun. Tout était atroce. Je pense qu'il a souffert d'une dépression masquée assez longue. Jean-Paul ne pouvait plus se reposer sur personne. Ils formaient un duo extraordinaire. Dès les années quatre-vingt, il y avait un formidable buzz autour d'eux. Parce que Francis était déterminant dans leur business. Imaginez Saint Laurent perdant Pierre Bergé il y a vingt-cinq ans ! »

La dernière année est la plus dure. Mais Francis, amaigri, décharné, immobilisé, ployant sous les traitements, développe un optimisme à toute épreuve. C'est lui qui finit par donner confiance à Jean-Paul en répétant qu'il combat, qu'il triomphera de l'issue annoncée. « C'est un paradoxe complet, admet Jean-Paul. Mais lui qui avait des tendances autodestructrices s'est montré extraordinairement courageux, jamais abattu, retrouvant des forces chaque jour, alors même que sa déchéance physique était patente. » Jean-Paul sait que la fin est proche, il est vacciné, il a subi trois déchirements coup sur coup : « Au premier signe, je sais. J'ai une prescience de la fin des êtres que j'aime. » Et il ne se trompe pas.

Septembre 1990 : plus de parents, plus de couple. L'enfance pilonnée, l'adolescence et les débuts dans la vie, torpillés par le deuil. Heureusement, il reste Donald Potard, l'ami du bac à sable, le complice d'Arcueil. Aïtize, la nounou-mannequin, l'indispensable, l'énergique Aïtize, n'a pas bougé depuis 1972. La sémillante eut même, heure de gloire suprême, une brève carrière de Clodette, en short jaune poussin. Peut-on se passer d'une fille qui connaît par cœur la chorégraphie d'« Un lundi au soleil » et qui confectionne en un éclair des tartes aux pommes à la cannelle ? Frédérique Lorca, après un break de dix ans – « Jean-Paul est un booster mais il peut aussi vous dévorer tant il est créatif » –, revient aux sources, pour l'épauler. Tout se passe comme s'il rameutait le premier cercle, les fidèles du cénacle, des temps de vaches maigres et d'euphorie potache. Evelyne sait qu'il faut accepter sa façon de souffrir en silence, son mutisme éloquent. Sa résistance, ses mécanismes de défense à la douleur, chaque fois, sont les mêmes. « J'ai observé cela à la mort de son père, de sa mère, de Francis. Jean-Paul a du mal à faire face à cette réalité. Il sait que la fin est proche mais il fait comme si cela n'existait pas. » Le déni est une gomme puissante, un névralgique autorisé, une forme de drogue licite. On lui connaît cependant des effets retard…

Patiemment, Jean-Paul resserre donc les nœuds, brode son canevas affectif, coud ses points de suture. Travaille comme un forcené. Madonna est en vue – un scud, une tornade, un tsunami. Ce genre d'expérience secouante est susceptible de panser ses plaies. Donald, Aïtize, Dominique, Tanel, Frédérique, Farida sont là. Ses tranquillisants humains agissent. Il peut retrouver le sommeil. Une forme de paix intérieure. Parfois même, l'assassin de ses cauchemars, l'homme au poignard, oublie de lui rendre visite.

Dress-code Madonna

> « L'éternel féminin rend l'homme semblable à un crétin. »
>
> Salvador DALÍ

Sous le règne de Mitterrand, sphinx lettré, les crises sont essentiellement culturelles. Jack Lang inaugure à tour de bras : le musée des Arts Décoratifs a l'air d'une piscine avec ses petites cabines de porcelaine, ses carrelages et sa verrière. En jouant à saute-mouton sur des colonnes rayées comme une marinière de Gaultier, les enfants enterrent la polémique de Monsieur Buren. Les architectes sont dans l'œil du cyclone. Futuriste, métallique et céleste, la pyramide de Pei dévore la cour Napoléon. Au même moment, le sinistre Ceaușescu quitte la scène, le mur de Berlin s'effondre, les années quatre-vingt tirent leur révérence dans un souffle de liberté. Le bicentenaire de la Révolution française scénographié par Jean-Paul Goude et ses lutins cosmopolites clôt la décennie dans une fanfare pyrotechnique. En émergent en lettres gothiques et en surimpression deux ou trois signatures : Starck, Mondino, et Gaultier bien sûr.

Dans une douce quiétude, la haute couture joue sa petite musique de chambre. Chez Saint Laurent, rien ne bouge. Chez Chanel, on mise sur le joker Lagerfeld. Et un petit nouveau de trente-cinq ans ouvre sa maison après avoir fait ses preuves en redorant le blason Patou. Christian Lacroix, dandy arlésien, est le dernier chouchou des critiques de mode. Inondant les podiums de boléros et de mantilles, il transcende des infantes d'Espagne, des princesses gipsy, des poupées de flamenco au port de reine : tout un folklore chic pour opérette glamour. Gianfranco Ferré débarque chez Dior et Angelo Tarlazzi chez Guy Laroche. Les Italiens envahissent Paris. Karl, lui, ne trouve rien de mieux à faire que de congédier sa pimpante égérie. Au motif qu'Inès de la Fressange ne peut pas à la fois trôner, nouvelle Marianne, dans les mairies françaises et siéger rue Cambon. Querelle hexagonale de chiffons. Pendant ce temps, une remuante Lolita ornée de crucifix et de dentelles défraie la chronique planétaire. Madonna menace l'ordre puritain. Elvis ondulait du pelvis, Louise Ciccone use de multiples ficelles transgressives pour affoler la libido de ses fans. Micros, danseurs, choristes, guitares : tout lui sert de sex-toy. Ciccolina du rock, elle annexe aussi le cinéma. Dans *Recherche Susan désespérément*, en cuir, mitaines et bottines cloutées, elle a l'air habillée par Gaultier.

Son truc ? La provoc. Son plus ? Un timbre pop-rock, des tubes néo-funk et électro et un don inné pour la scène. C'est une Betty Boop shootée aux amphètes, une Marilyn saphique. Son message vise à érotiser massivement les foules. Elle raconte l'histoire d'une petite immigrée italienne qui s'en remet aux joies du sexe « *like a virgin* ». Louise mime l'extase, suggère l'orgasme, une croix sur le buste, vêtue en robe de mariée virginale. L'église catholique conseille à ses fidèles de se détourner de cette madone non conforme. Elle sème le soufre et récolte le triomphe. Elle s'offre à Dieu et le clergé l'excommunie. Le blasphème est astucieux. Son génie réside dans l'art du *morphing*. Successivement brune, rousse, blonde, cheveux courts ou longs, elle crée ses propres avatars. Elle dicte les looks au mépris des modes, puisque c'est elle qui les lance. La tête lui tourne au sens strict. Maintenant en haleine son public, tenant ses rivaux à distance, Madonna surfe habilement sur le scandale et le désir, vecteurs efficaces de l'idolâtrie.

Avec elle, tout fait événement : ses conquêtes (Warren Beatty, Sean Penn), ses films (*Dick Tracy*, *Evita*), ses clips. Démodant Michael Jackson et toutes les divas du R'n'B, Madonna, phénomène de société éreintant, suscite une fascination subversive tous azimuts. A son sujet, Philippe Sollers, émoustillé, écrit ceci : « Elle se métamorphose comme une hallucination. C'est un catalogue en action. En un sens, elle n'existe pas. » Ce qui est sûr, c'est qu'elle se cherche. Un de ses shows est baptisé « Who's that girl ? ». En robe blanche plissée Monroe, elle le conclut en envoyant valser sa culotte dans la salle. Entre la fille qui ne sait pas qui elle est et le styliste qui sait si bien ce qu'il veut, la rencontre est inévitable. L'exégèse dit que la star avait fortement apprécié le défilé des religieuses de Gaultier en 1987. La rumeur ajoute que les guêpières et les corsets, spécialités du maître, la séduisaient fortement. Jean-Paul, en somme, représente la synthèse aphrodisiaque des deux pôles madonnesques : la religion et le sexe.

Lui, comme des millions de fans au bord du coma, succombe à son talent, son culot, son sens du look et son mépris du qu'en-dira-t-on : « J'ai toujours été fan d'elle. D'abord parce qu'elle s'habille bien, ce qui est rare dans ce milieu. Ensuite, elle n'a rien à faire du jugement des autres. Je me souviens l'avoir vue pendant les MTV Awards se rouler par terre, mimant la volupté devant une salle glaciale. Elle ne s'est pas démontée. Madonna fait ce qu'elle veut. Tout chez elle part du cœur et des tripes. » Le cœur et les tripes ne manquent pas quand elle vient donner en France un concert au parc de Sceaux en 1987. Quelques *happy few* sont ensuite conviés au Privilège, l'annexe feutrée du Palace décorée par Garouste. Entourée de sa cour, cheveux platine, lunettes noires, jupe de cuir, Madonna occupe une des tables du fond. Par chance, Jean-Paul et son amie Frédo ont obtenu un flyer. Il observe l'apparition, l'ange blond menaçant. Elle est magnifique, plus belle de près en *live* que sous les éclairages psychédéliques de la scène : « A ce moment-là, raconte Frédo, il me dit : "Vas-y, toi, qui n'es jamais impressionnée par les stars.

– Pourquoi faire ? lui dis-je.

– Mais pour lui parler", répond Jean-Paul. Je me retourne et je le vois, cramoisi, dans un état d'excitation incroyable. Bref, il m'envoyait au charbon parce qu'il n'avait pas le courage d'y aller lui-même. Alors j'avance, je surmonte le regard en biais d'une quinzaine de personnes arrogantes et je lui dis : "*Do you want to meet Jean-Paul Gaultier?*" Elle lève le nez, répond "*Yes, yes*" et je vais chercher mon Jean-Paul, ratatiné de trac, dans un état de décomposition que je n'oublierai jamais. » Deux mois passent, la brève rencontre semble sans suite, mais à l'atelier, un matin, le téléphone sonne et c'est Frédo qui décroche. Au bout du fil, une voix impersonnelle déclare : « *Madonna wants to speak to Mister Gaultier.* » « Un petit malin nous fait une blague de mauvais goût », dit Frédo à Jean-Paul, qui s'empare, furibard, du combiné et entend : « *Hi Goltière !* » Madonna, en personne, lui demandait de l'habiller pour sa prochaine tournée. Tête du groupie...

L'association de Gaultier et de Madonna va produire sur les esprits un choc esthétique durable. Elle et lui incarnent une séquence rock-pop et provoc unique. Tous deux participent à la libération des corps et des mœurs, parlent à la jeunesse, véhiculent une modernité décomplexée. D'évidence, ils se ressemblent. Individualistes fun, le militantisme les indiffèrent mais ils se mobilisent pour le sida. Hédonistes rigoureux, ils savent faire oublier que leur travail est le résultat d'une discipline de fer. C'est le côté cour, esbroufe et paillettes de la société du spectacle. Côté jardin, habiller la tournée mondiale de cette dame de fer relève de l'exploit. Parce que Jean-Paul travaille comme il marche, comme il vit, comme il pense, c'est-à-dire très vite, cinq mois seulement lui seront nécessaires pour fabriquer tous les costumes – musiciens et danseurs compris – du spectacle. Il est ravi, compressé, concentré, et nuit et jour sur le pont. Intuitivement, il saisit que ce challenge est aussi un passeport pour sa renommée mondiale. De Tokyo à

LA, la *sexy girl* promeut en tour-opérateur de choc la griffe JPG. Peut-on souhaiter meilleure ambassade ? Aucune top-modèle ne peut s'aligner, son autorité et son charisme sont déjà légendaires : ce que Madonna choisit, électron libre qui fait et défait les modes plus vite que son ombre, a valeur d'oukase. Des milliers de groupies vont imiter son geste.

A l'atelier, on boude un peu. La star phagocyte le cerveau du patron. Vampirisé par son attachée de presse, son habilleuse attitrée, bombardé d'e-mails sur lesquels sont martelées trois syllabes égocentriques : « *Me, me, me ???* », Jean-Paul vit en jet-lag, aligné sur le faisceau horaire de la côte Ouest. Il va lui façonner six tenues emblématiques, entre humour et glamour, six toilettes photocopiées ensuite à l'infini par ses fans. La première est une nuisette volantée, façon *Veuve joyeuse*, la seconde, un body pailleté de vert à la Cyd Charisse. Suit un smoking qu'elle porte en bas résille et cuissardes pour son final « Keep It Together » et un look panty, chapeau melon, genouillères de plastique noir où elle a l'air tout droit sortie du Milk Bar d'*Orange mécanique*. Enfin, clou du spectacle, vient le blason hypnotique. Le corset conique paraît, sublimé par Madonna. Il est en satin saumon, épouse les hanches menues de la chanteuse, une longue queue de cheval crinière fouettant son décolleté pigeonnant. Elle évoque une cyberamazone – 1,63 m, taille 36 : mensurations parfaites. Mince, fuselée, musclée, sauf que ce corps idéal change de dimensions au fur et à mesure des essayages. Perd cinq cents grammes, repart à New York, revient à Paris avec deux kilos d'excédent de bagages. Au studio de création, il faut recoudre *non stop* les fermetures Eclair,

À Arcueil, la place de la mairie où vivait l'ami de Jean-Paul, **JEAN TEULÉ**. Ses parents en étaient les gardiens. Au loin, le majestueux aqueduc. À droite, le HLM rouge brique de la famille **GAULTIER**.

Boulevard Pasteur, chez **MÉMÉ GARRABÉ**. La grand-mère paternelle de Jean-Paul, infirmière, médium à ses heures, joue un rôle capital dans la vie affective du futur couturier. Mémé est à l'origine de sa vocation.

Jean-Paul, six ans, endimanché par sa mère **SOLANGE**, pose devant le bassin du Luxembourg sous l'objectif de son père **PAUL GAULTIER**.

En communiant, à Arcueil, avec sa **GRAND-MÈRE**. Plus tard, il fera défiler ses mannequins en religieuses !

Au Club Méditerranée, à Smir, Jean-Paul et son inséparable **COUSINE EVELYNE**, vêtus tous les deux de djellabas locales, au bord de la piscine. Ils ont dix-huit ans et dansent le rock tous les soirs.

L'un des premiers croquis de la robe trompe-l'œil surréaliste que Gaultier réinterprétera maintes fois. Le fourreau transparent rebrodé de paillettes imite la peau et met en valeur les signes de sexualité. Joséphine Baker inspire ce tracé et **NAOMI CAMPBELL**, la black top-modèle, le sublimera sur les podiums.

1972. Jean-Paul vient de rencontrer **AÏTIZE** qui débute dans le mannequinat. Silhouette de rêve, courbes parfaites. C'est sur elle qu'il tente ses premières créations. Ici, un fourreau noir imité de Yves Saint Laurent qu'il admire profondément.

En 1997, Jean-Paul rend hommage à **NINA SIMONE**. Son défilé, exclusivement composé de mannequins de couleur, s'intitule « Black Beauties ». À la droite de l'homme en marinière, la fidèle **AÏTIZE**.

Stéphane Cardinale/CORBIS SYGMA

La **JUPE POUR HOMME** n'existait pas, Jean-Paul en fait un must, la porte en toute occasion. Ici, c'est kilt ou double, au Carrousel du Louvre en 1994.

Au défilé YSL Haute Couture Automne Hiver 1999-2000, Jean-Paul et l'un de ses maîtres, **YVES SAINT LAURENT**. L'autre est Christian Dior.

Enlacés, inséparables, à New York en 1994 : il est son pygmalion, elle sa galatée, entre Jean-Paul et **MADONNA**, « love is in the air », et l'histoire continue.

Frank Trapper/CORBIS SYGMA

Au gala de l'AmfAR, à Los Angeles en septembre 1992, **MADONNA,** habillée par son french couturier favori, défile sur le podium du Shrine Auditorium.

a femme Gaultier est
finitivement **SEXY**. Le croquis
cette **PIN-UP** en bretelles
voilant un soutien-
rge, les jambes
inées de leggings en témoigne.

Neal Preston/CORBIS

adonna
mortalisant
fameux **BUSTIER**
nique en satin chair
rs de sa triomphale
urnée mondiale
onde Ambition
ur en 1990.

Stéphane Cardinale/People Avenue/CORBIS

Pop créateur, Jean-Paul Gaultier a réussi à habiller toutes les chanteuses qu'il admire : sa première égérie **CATHERINE RINGER** (ici avec **JOSIANE BALASKO** au défilé Haute Couture 2005-2006), à droite **MYLÈNE FARMER**, la rockeuse libertine (au défilé prêt-à-porter 1995-1996) et **SYLVIE VARTAN**, comme un garçon, lors d'une soirée en Italie à Vicenza en 1998.

Eric Robert/CORBIS SYGMA

Coiffées comme **BJÖRK**, en hérissons nippons, les filles du Soleil Levant telles que les rêvait **MADONNA**. Transposées par la magie du crayon de Jean-Paul, les voici devenues guerrières et sensuelles, nouvelles gardiennes du Pavillon d'or.

Andrew Ross/CORBIS

ean-Paul Gaultier dans son propre rôle, interviewé
ır **KIM BASINGER**, journaliste ébouriffée
ns *Prêt-à-porter*, la satire sur la mode
Robert Altman en 1994.

la première du film *Prêt-à-porter*
New York en 1994, **LAUREN BACALL** avec
chevalier servant en léopard et cuissardes.

C'est dans la robe de sirène brodée de coquillages imaginée par Jean-Paul que **MARION COTILLARD** reçoit à Hollywood, le 24 février 2008, l'oscar de la meilleure actrice pour son interprétation d'Edith Piaf dans *La môme* d'Olivier Dahan.

Stéphane Cardinale/CORBIS SYGMA

Photo call à Cannes avec **BRUCE WILLIS** pour *Le Cinquième élément* de **LUC BESSON** dont Jean-Paul a réalisé les costumes.

Stéphane Cardinale/PEOPLE AVENUE/CORBIS

Créatures **CYBER-SEXY**, marquises des anges, androgynes à plumes, dandy poudré et coquettes en cage : la mode du polymathe **GAULTIER** dans toute sa splendeur.

reprendre les ourlets, réajuster la taille. Ce n'est pas tout. Les toilettes de trente *boys* sont conçues pour chaque tableau et il faut aussi faire face à la fonte des graisses car Madonna s'agite tant sur scène qu'elle peut perdre deux kilos en une seule soirée. Chaque tenue est faite en quatre exemplaires, par prudence : quand la star se roule par terre, elle ruine les paillettes minutieusement brodées une à une. Tant pis. Jean-Paul s'exécute, ne dit jamais non, ne râle pas. Il est en état de grâce, fasciné, épris. Le titre de la tournée a d'ailleurs de quoi pétrifier. C'est un « Blond Ambition Tour », une ambition blonde personnifiée, une tornade en voyage d'affaires qui ne supporte ni amateurisme, ni hypothèse d'échec. L'attaque mondiale est planifiée au pas de charge. Deux perfectionnistes s'affrontent donc chaque soir mais Gaultier œuvre en coulisses, Madonna, elle, s'expose sur son ring.

Inspiré par la connotation ultracatholique de sa Galatée, le pygmalion propose alors une métaphorique robe de vierge bleu Lourdes. Mais son redoutable frère-coach-nounou-agent-secrétaire-chorégraphe, ce Christopher Ciccone qui publiera en 2008 un ramassis de *gossips* sur sa sœur chérie, refuse catégoriquement : « Pour une fois, relève Jean-Paul, il n'avait pas tout à fait tort. Elle venait de sortir son tube "Like a Prayer". Dans le clip où elle sauve un jeune Noir injustement coffré par la police, on la voit pénétrer dans une petite chapelle, s'y agenouiller devant un Christ noir qui s'anime soudain et l'embrasse. Des croix géantes en flammes ponctuent la chanson, tout se finit en gospel antiraciste. N'empêche que la scène de flirt avec le Christ noir lui vaut à ce moment-là une double sanction : l'Eglise menace de l'excommunier et Pepsi-Cola, son sponsor principal, lui coupe les vivres. Christopher a dit : "Stop, on arrête là les provocations". »

Jean-Paul se limite donc au tropisme érotique. Entre les deux blonds, le courant passe. Elle est séduite, amusée, bluffée par « *Goltière* ». Mais, confie Frédo, très agacée par ses caprices de star : « Je ne supportais pas la manière dont elle le traitait. Il y avait quelque chose de supérieur, d'agressif, de cinglant chez elle. Lui, je ne l'ai jamais vu comme ça. D'elle, il acceptait tout alors que Jean-Paul n'est pas une personnalité lisse et docile, loin de là. Moi, je me braquais, je lui tenais tête, mais je crois qu'il a eu avec Madonna une relation complexe et passionnelle. C'est la seule femme qui l'ait vraiment dominé. Il lui a même demandé sa main par voie de presse et ce n'était pas un jeu. » Dans l'air, il y a de l'électricité, des sentiments, de la libido, des pulsions. Elle l'agace mais il en est fou. Frédo voit en Madonna le symptôme d'une ambivalence identitaire que Jean-Paul n'exprime jamais : « Jeune homme, révèle-t-elle, il a eu des histoires avec des femmes. Contrairement à d'autres couturiers gays, il magnifie leurs formes, glorifie leur sexualité. Non seulement il n'en a pas peur mais il adore leur présence charnelle. Aux essayages, avec les mannequins, il est très tactile. C'est une facette inexploitée mais je ne crois pas qu'il soit homosexuel à 100 %. »

Un 31 décembre, au matin, Jean-Paul téléphone à Anna Pavlovski. Il est dans tous ses états : « Anna, tu sais quoi ? Elle vient d'appeler, elle est à Paris, elle veut passer le réveillon avec moi. Et chez moi ! Au secours !

Elle sera là à 19 heures tapantes. Qu'est-ce que je vais faaaaire ? » Anna, pragmatique, se lance dans un marché macrobiotique pour l'illustre végétarienne et rapporte les provisions fissa, rue Fontaine. Aïtize, cordon-bleu antillais, se charge du chapon pour les carnivores. Sont convoqués à toute allure : Dominique, Lionel, l'attaché de presse, Tanel, Stéphane Marais et c'est à peu près tout. Ces figurants de dernière minute claquent des dents, agglutinés, tétanisés. 19 heures : la star entre, impériale, glamour, élégantissime dans un minitailleur moulant. Elle exige, avec ce charisme de tueuse qui ne souffre pas de réplique, de dîner en vingt minutes afin de sortir ensuite dans les boîtes de la capitale. Comment lui expliquer qu'il faut patienter, qu'avant 23 heures, en France, on ne danse pas et que le 31 décembre complique la chose ? Bref, deux heures de torture plus tard, on retrouve cette drôle d'équipe, Jean-Paul aux bras de sa déesse, faisant le pied de grue à La nouvelle Eve puis écumant toutes les discothèques de Montparnasse : « Elle était éblouissante et d'une spontanéité folle, raconte Anna. Elle dansait dans la rue, affriolante et radieuse au mépris des passants qui ne l'importunaient même pas, ne pouvant se douter que Madonna, en personne, faisait la fête, titubante sur le french bitume ! »

Par trois fois, en 1990, 2001 et 2006, l'ambitieuse blonde portera la casaque Gaultier. En amazone viscontienne, en clone de Travolta, en déesse SM harnachée de cuir, bottes lacées avec cravache et fouet, en princesse bédouine enveloppée de voiles bleu canard rebrodés d'authentiques scarabées d'Egypte. Toujours sanglée, moulée, Madonna va exporter l'esthétique sado-maso, glam et sexy de son couturier attitré. Il y aura des hauts et des bas, des silences, des retrouvailles, on chuchotera qu'elle ne rétribue même plus son travail, divinité indifférente aux trivialités terrestres, mais, malgré tout, leur relation est intacte. C'est elle qui va initier Jean-Paul à Frida Kahlo car elle collectionne ses toiles dans le but de réaliser un film qui ne verra jamais le jour. Jean-Paul, lui, transcendera la peintre mexicaine en 1998 dans une de ses plus fameuses collections couture : « Les toiles de Frida que j'avais vues chez Madonna m'avaient profondément marqué, puis j'ai acheté des livres d'art sur elle. Les volumes, la passion, les couleurs, la souffrance, tout ce mélange de joie de vivre et de tristesse et les cicatrices de cette artiste : l'inspiration est partie de là. » Avec la chanteuse, Jean-Paul sait qu'il est au service d'un destin. En groupie privilégié, il résume l'exercice de style en ces termes : « Dans mes défilés, je construis ma propre histoire tandis qu'avec Madonna, j'entre dans la sienne. »

Barbie décapitée

« Ô femme, mammifère à chignon, ô fétiche ! »

Jules LAFORGUE

L'envie de parfumer sa mode lui chatouille soudain les narines. Financièrement, c'est un coup de poker. On investit gros et on peut perdre plus encore. Mais si on gagne, c'est le jackpot et l'assurance de fournir à sa société un solide matelas pour l'avenir. Il y a des antécédents historiques : le « Joy » de Patou, le « N° 5 » de Chanel, le « Loulou » de Cacharel, l'« Opium » de Saint Laurent, l'entêtant chocolat-patchouli créé par Thierry Mugler et judicieusement baptisé « Angel ». Jean-Paul sait déjà que les grandes maisons ne survivent que grâce aux accessoires et aux parfums. Il se lance donc, appuyé par l'entreprise BPI et piloté par une stratège, Chantal Roos. Les lois du marketing sont détournées. Les autres font appel à des vedettes ou à des top-modèles pour incarner la marque – Inès de la Fressange, Carole Bouquet, Paloma Picasso, Jerry Hall –, pas lui. La stylisation des flacons repose sur des lignes précieuses, baroques ou Art déco revisitées. Jean-Paul réfute l'esthétique boudoir et coiffeuse, « Jolie madame » ou « Miss Dior ». La tendance girly, à l'œuvre en l'an 2000, est anticipée, le rose *shocking* hissé. La fiole, objet du désir, sorte d'élixir porno chic, voit le jour. Dopé par Madonna, son idole au corset, il sculpte un petit buste à la taille creusée, aux seins parfaits, moulé dans un body cuivré. Et parce qu'un bouchon en forme de tête serait pléonastique et tocard, Jean-Paul décapite franchement sa Barbie. Il existe une autre interprétation de cette étrange mutilation. A douze ans, dans ses premiers books, surgissent des modèles privées de visage, des femmes-corps, aux traits inexistants, probablement par instrumentalisation maximale de son art : l'enfant veut montrer des vêtements, non des *cover-girls*. En grandissant, cette caractéristique s'accentue et les dessins, d'ailleurs, se raréfient. De plus en plus, Jean-Paul forme ses créations à l'essayage, au feeling, au toucher, inspiré par la silhouette et le mouvement de ses mannequins. Interrogé sur cette disparition, il offre son analyse : « Il est vrai que je n'ai vraiment portraituré que trois tops : mon amie Anna, intrigante et drôle, au visage modiglianesque, Farida Khelfa dont j'adorais le regard et la bouche et puis Leslie Winner, qui était une réincarnation très masculine de Katharine Hepburn. » Conséquence logique : ses poupées odorantes sont des femmes-troncs. Au lieu d'un packaging en carton pastel délicat et rectangulaire, les eaux de toilette sont emballées, comme de vulgaires légumes, dans une boîte de conserve. Récurrence de sa stylistique : le luxe, chez lui, côtoie le domestique, les matières nobles fraternisent avec la tôle ondulée, le caoutchouc et la toile de jute.

Flacon Gaultier en main, toutes les filles retombent en enfance. Les hommes, eux, considèrent ce petit objet libidineux comme un sex-toy et l'offrent en masse à leurs fiancées. Coup bi, coup double. L'art et la manière de se mettre hors champ : pas d'égérie, un flacon scandaleux, un esprit junior, une symbolique érotique et comble de la provocation : pas de titre. L'objet sans queue ni tête s'appelle Gaultier, tout simplement. Pour conférer du sens à ce tour de passe-passe, le prestidigitateur Mondino est convoqué. Avec ce complice de toujours, Jean-Paul tricote un story-board publicitaire à rebours. Sensuel, capiteux, voluptueux, le spot de pub cosmétique signale généralement une séductrice accomplie, encourage la nonchalance et l'oisiveté. Jean-Paul et Jean-Baptiste font tout le contraire. Ils mettent en scène une dizaine de branchés arrogants, dînant dans un *concept store*.

Il y a là une diva sculpturale au crâne rasé qui mange goulûment du raisin noir en déclarant : « Je ferais n'importe quoi pour être un homme », alors qu'un éphèbe musclé lui réplique : « Je ferais n'importe quoi pour avoir de gros seins. » Une bande-son électro-acoustique entrecoupée de messages, textes hermétiques à la manière de Godard, défile. Dans un brouhaha situationniste, on entend : « L'amour sans risque est tellement organique », et cet hommage explicite à *A bout de souffle* : « Vous êtes vraiment dégueulasse. » Tandis que Madame Tremois, mascotte maison du troisième âge, s'interroge : « Esprit, es-tu là ? », Gaultier prend possession du corps de la vieille dame dans un effet de *morphing* assez inquiétant. En quarante secondes, l'esprit de l'époque décortiqué révèle son essence. Le clubbing, la bisexualité comme ultime snobisme, le monde de la mode dans toute sa superficialité, les *beautiful people* affamés de pulsions narcissiques : Gaultier et Mondino fixent en raccourci une satire des années fric et frime. On songe au *Prêt-à-porter* d'Altman, décapante étude de mœurs en fashionland. Mais Jean-Paul déteste ce film, pas assez vachard à son goût : « Quitte à se montrer méchant envers ce milieu, dit-il, il fallait y aller franchement et ne pas superposer des petites saynètes anodines et des intrigues d'une banalité effrayante. En plus, visuellement, *Prêt-à-porter* est quelconque, ce qui est impardonnable quand on veut montrer la mode. Là, je suis intraitable. Ce n'était même pas suffisamment laid pour être intéressant. » Karl Lagerfeld, lui, se veut encore plus critique. A l'époque, il attaque Robert Altman en justice. Motif ? Le réalisateur le fait passer pour un plagiaire. Comme souvent, Karl le grincheux sera débouté.

« Esprit, es-tu là ? », petit spot satirique et concentré d'humour, est un must. Une dizaine d'autres suivront. Dans la foulée, Gaultier démode toutes les autres stratégies de vente. Ses références scénaristiques – Fellini, Godard, Beineix, Besson, Fassbinder – l'éloignent de plus en plus de l'esthétique publicitaire traditionnelle. Au paradigme : fragrance égale toile de fond glamour et créatures de rêve, il substitue des blasons baroques, des petits matelots réunis dans un bar, des femmes qui se transforment en hommes et inversement, des clins d'œil parodiques et des dédicaces à son propre univers. Introduisant l'ironie et le second degré dans la sphère du luxe, il déconstruit les standards, court un risque et comme toujours emporte le morceau. Comme le dit

Aïtize : « Jean-Paul a du flair », ce qui, pour réussir dans le parfum, n'est pas tout à fait accessoire. Mais, ajoute-t-elle : « Le flair ne suffit pas, il est aussi né sous une bonne étoile. »

Du nez ? De la chance ? Certes. Mais il faut ajouter une autre corde à son arc, ce talent si particulier qui consiste à copier-coller-sauvegarder l'air du temps. Comme le souligne Olivier Saillard : « Il a la longueur d'avance juste, ni trop, ni trop peu, c'est un visionnaire aigu. » L'art de la bonne distance en somme, celle qui s'acquiert en psychanalyse au terme de longues années employées à combattre la névrose. Lui possède ce sixième sens de manière innée, avec son entourage, ses amis, ses amours. Sa communication s'en ressent. Il déstabilise sans provoquer. Il choque sans douleur. En flirtant avec des notions constamment subversives, en prônant l'antiracisme, la bisexualité, la tolérance, le mélange des genres, il parvient à faire consensus. Ce concept anglo-saxon très pointu, le *gender*, Jean-Paul le manipule sans le savoir depuis les années soixante-dix. C'est un Monsieur Jourdain du *gender*, un post-moderne qui génère les tendances et fonctionne à l'instinct. Gaultier et Mondino continuent de filmer leurs jus pêchus. Pour le parfum « Gaultier classique », une nymphette se perd dans le tunnel de la fameuse boîte de petits pois. En guise de nounours, elle tient à la main un poupon personnifiant Jean-Paul. A la fin de son parcours initiatique, le néo-Popeye s'anime et quitte la fillette en se dandinant. « Le mâle » entre en scène en 1995. Corollaire masculin de la petite Barbie, ce Ken bodybuildé en marinière, moulé dans un caleçon noir, affiche une virilité explicite. A la télévision,

« Le mâle » est un matelot chaviré par un mousse aux hanches étroites qui le vampe juste avant d'ôter son bob, de libérer une chevelure capiteuse et de l'enlacer voluptueusement. Il est elle, je est un autre, sous les auspices de Maria Callas qui roucoule la « Casta Diva » de Bellini, hymne à l'indifférenciation des sexes. Le public craque pour ces petites *stories* qui génèrent suspense et désir. On plébiscite ces instants délicieusement sulfureux et kitsch, où bi et hétéros jouent ensemble à la poupée. Le passage à l'écran démultiplie la notoriété de la griffe en un temps record. Ce que Chanel a patiemment construit en termes d'image avec Catherine Deneuve dans les années soixante-dix, Inès de la Fressange dans les années quatre-vingt, puis Carole Bouquet et enfin Vanessa, métamorphosée par Goude en oiseau de paradis sifflotant dans sa cage, Gaultier et Mondino l'édifient en un clip et sans star.

Avec ces petites sagas, le spectateur mémorise Jean-Paul Gaultier, ce grand blond en marinière qui sourit tout le temps. Il n'y a pas d'équivalent dans l'art d'identifier une personnalité et sa psyché à une marque. Seuls Saint Laurent et Karl Lagerfeld y sont parvenus mais dans la durée, en travaillant savamment un discours et une posture. Avec Jean-Paul, l'imprégnation est inversement proportionnelle à l'effort. Elle vient instantanément, naturellement, parce que l'homme est sans calcul, cash, incapable de planifier une carrière, encore moins de façonner son logo comme un Lego. L'effet de sens est pourtant indéniable et le succès commercial en découle. Depuis les années quatre-vingt-dix, le parfum Gaultier pour homme trône à la première place mondiale et son équivalent féminin, à la cinquième.

Le binôme Mondino-Gaultier ? C'est une élégante lenteur, un mouvement de caméra rotatif, un graphisme bleuté, un discours androgyne. Par association d'idées, Gaultier, homme subliminal, disque dur au cœur tendre, s'inscrit dans l'inconscient collectif. Dès lors, la qualité olfactive du produit importe peu. Les coquettes se ruent sur les Barbie rose thé, achetant du Gaultier à prix doux, s'offrant un *must-have* de substitution, convertissant du prêt-à-porter en prêt-à-sentir. La fragrance sucrée, régressive, mixe ylang-ylang, fleur blanche sur un fond musqué, poudré et vanillé crémeux. L'épiderme féminin embaume la barbe à papa, évoque une après-midi au Jardin d'Acclimatation. Ces jeunes filles sirop de fraise ignorent qu'elles célèbrent à travers l'espace et le temps la mémoire de Mémé Garrabé. Sur la coiffeuse de sa chambre à coucher, rue Pasteur, à Arcueil, les tubes de Rouge Baiser et la poudre de riz exhalaient des vapeurs caramélisées. Pour restituer les corsets de sa grand-mère, il suffisait à Jean-Paul de dessiner inlassablement des silhouettes carapacées. Mais comment fixer l'odeur d'une caresse, le souvenir des mots doux quand on n'écrit pas ? En élaborant un jus personnifié, des volutes de tendresse, des madeleines de Proust immatérielles, gouttelettes affectives atomisées aux quatre coins du monde.

Story-telling

« Le travail du metteur en scène consiste à faire faire de jolies choses à de jolies femmes. »

François TRUFFAUT

19 heures, un soir de février, veille de la présentation du prêt-à-porter, Gaultier convoque dans le plus grand secret trois tops de vingt ans : Bojana, la Serbe, Coco, la Canadienne, et Morgane, la Française. Il veut leur faire répéter, fissa, le final. Au bout du podium, le décor est planté. On y découvre un boudoir, des tentures de velours vermillon avec un bar en acajou, un moelleux canapé rococo, des luminaires et un portemanteau. Horreur, c'est une maison close, un claque ! Les modèles ne saisissent pas vraiment qu'elles seront costumées, le lendemain, devant le Tout-Paris, en filles de petite vertu. Jean-Paul arrive au pas de charge, agitant une feuille blanche raturée, illisible, à la main. Son script évolutif est lu aux trois apprenties comédiennes en une minute chrono dans un dialecte bilingue Gaultier-english dont voici la teneur phonétique : « Vous sortez du salon et puis, hop, vous allez vous

crêper le chignon, vous vous balancez vos sacs à la figure, vous vous piétinez à coups de pied. *Fight*, bagarre, OK ? Alors, *I show you because my scenario is not so good.* » Il montre en effet la scène, plaque Coco, feint de la castagner, les filles éclatent de rire en VO tandis que l'attachée de presse déplace courageusement les meubles, aux ordres du metteur en scène dont l'âge mental, à cet instant précis, n'excède pas douze ans et demi : « Un peu plus à droite, allez, non, à gauche. Ah, mais alors, il faut avancer le lampadaire. Et les bottes en caoutchouc, vous les avez ? Il faut monter les chercher. » Course sportive de la jeune femme qui revient avec trois paires de bottes spéciales pêche au crabe. Au même moment, débarquent quatre colosses en bleu de travail. Au milieu du catwalk, ils sont en train d'édifier avec du sable, des ventilateurs et des pompes à eau, un coûteux ring de boue où les jolies prostituées effectueront, en robes et jarretières JPG, un combat de catch. Bruits de marteau, fumigène, personnages anachroniques sans rapport les uns avec les autres, agglutinés sur trente mètres carrés : on est dans la cabine d'*Une nuit à l'opéra*. Groucho Marx, hyperconcentré, pousse les filles dans l'arène.

Elles ont compris le sens global de la performance, enfilent leurs bottes de caoutchouc et un ciré en plastique. Le DJ envoie « Roxane » de Police puis le « Money » des Pink Floyd. Coco et Bojana se mettent KO et Jean-Paul, aux anges, arbitre le match. « Plus fort, Coco, dit-il pour stimuler les catcheuses, *you are not the little mermaid* (tu n'es pas la petite sirène) quand même ! » Coco, Morgane et Goyana, échevelées, suffocantes, humides, évoquent des rescapées du naufrage de l'*Erika.* L'imposant technicien « boue », agenouillé, surveille son bassin crachotant et ne décolle pas. Jean-Paul, exquis de courtoisie comique : « Est-ce que ça va, Monsieur ? Le niveau est-il bon ? Parce que demain, pendant le défilé, vous ne pourrez pas être là, sur le podium, vous savez. » Le DJ interrompt alors les considérations scénographiques. Posté au premier étage, au micro, il hurle : « Là, Jean-Paul, je t'envoie "Love Is in the Air" ou bien "Si tu cherches la bagarre", le truc disco d'Amanda Lear ?

– "Love Is in the Air" », répond le Scorsese de la fashion week, tout en notant qu'en tombant à terre, les tops vont perdre leurs boucles d'oreilles et en signalant à l'équipe lumière qu'il faut envoyer un halo bleuté juste avant la chute. Soudain, on l'informe d'un incident matériel non négligeable. La terre mouillée risque de déborder du bassin. Lui, magistral, déjà à des années-lumière, contemple son interlocuteur, se gratte le menton et réplique évasif : « Bien, bien, bien. » L'ouvrier, futé, comprend qu'il a affaire à un original, n'insiste pas et règle le problème sur-le-champ. Le lendemain, la presse, enthousiasmée par ce combat de poules chic, baptisera le show « Classé X ».

Chanel, Balenciaga, Sonia Rykiel, Lanvin, Lacroix, Prada : partout ailleurs, on défile moderne mais *straight* : deux ou trois thèmes, une bande-son pointue, inventive, et le tour est joué. Chez Gaultier, jamais. C'est un *story-teller* spontané. Bien avant que le genre ne fasse fureur, dans les cabinets ministériels, chez les grands communicants, au sein de la télé-réalité, il a anticipé cette manière unique de se raconter en mettant en scène son travail et d'élaborer sa mode comme une série de fictions fignolées. La collection « Constructiviste », en 1986, démarre par la découverte des toiles de Malevitch et d'une série d'affiches bolcheviques dont les rouge vif, les vert bouteille stimulent Gaultier : « Ces couleurs passées, pas primaires mais modernistes me plaisaient. J'adorais les caractères cyrilliques. La voie était tracée, il m'a suffi de transposer ces lettres russes, ce qui ne se faisait pas, sur des dessous et sur des bérets qui devenaient des bonnets de rappeur. » Frédérique Lorca est requise pour tester en tant que mannequin les juxtapositions slaves. « On ne s'est jamais autant disputés, Jean-Paul et moi, confesse-t-elle. Il avait l'idée d'une jupe, je lui disais : "Elle n'est pas géniale, elle est trop raide." Il me tenait tête, il y avait de la friction dans l'air. Il faut dire qu'il testait des structures et des silhouettes totalement inédites, des premières. Alors, parfois, je bloquais sur certaines choses parce que j'avais l'impression qu'il allait droit dans le mur. Ceci dit, en m'opposant, je lui permettais de s'entêter et de réussir son dérapage. Il fonctionne comme cela, Jean-Paul. Francis, par exemple, avait un vrai talent pour lui dire : "Ça, c'est dégueulasse." Alors qu'aujourd'hui, plus personne n'ose le contrer. » Cette jupe russe de travers, Frédo, décidément, ne la sent pas. Mais le défilé est un triomphe. Ovationné, archicommenté, décrypté, vanté aux Etats-Unis comme le *nec plus ultra*, l'hommage des capitalistes aux Soviétiques devient sa Perestroïka.

L'amie critique s'incline *a posteriori* : « C'est lui qui avait raison, il était avant-gardiste et moi je butais parce que je n'étais pas au point. » Têtu, il tient bon et exploite d'autres tabous de civilisation. Son défilé « Rabbins chic », en 1993, exalte de superbes talmudistes au féminin, chapkas et papillotes glamour sur la tête, longs cafetans de crêpe noire, élégantissimes vignettes du *shtetl*. Comment l'idée lui vient-elle ? « J'étais parti un hiver à New York, explique-t-il. Et dans le Lower East Side, j'ai vu, sous la neige, dévalant les escaliers d'une librairie, des rabbins orthodoxes, des jeunes talmudistes, des enfants hassidim, qui avaient l'air d'oiseaux de feu avec leurs longs manteaux voletant autour de leurs corps comme des ailes noires. » Le passage à l'acte, façon Chagall, est immédiat et salué dans la presse. Coïncidence ? Son amie Madonna se convertit à la kabbale, tradition orthodoxe juive pour VIP de la côte Est, peu de temps après ce remake couture d'*Un violon sur le toit*. Pour un être hostile au clergé, Jean-Paul ne renonce pas facilement à illustrer la religion. En 2006, il offre de splendides enluminures, des vierges folles en robes bleu ciel, mi-Fragonard, mi-Botticelli. « Cette fois, c'est une remarque de Nicole Crassat, journaliste à *Elle*, qui a tout déclenché. A mes débuts, elle m'avait dit que la robe qui plaisait le plus aux femmes était celle que la Vierge porte dans les représentations bibliques. J'avais cela dans la tête depuis bien longtemps mais je ne savais pas comment exploiter le concept. Je me rends un jour à Lourdes et ce que j'y vois est d'une telle intensité baroque que je me mets à dessiner comme un fou la collection "Les madonnes". »

Plus que les lieux de culte, ce sont les bondieuseries des échoppes à touristes qui le mobilisent alors : les ex-voto, les pendentifs, les napperons de dentelle blanche et toutes les kitscheries qu'il juge « miraculeuses ». Pour « Les touristes japonaises au Louvre », autre histoire, il vadrouille. Démarre chez Madonna, muse fertile : « Elle voulait être habillée comme le personnage du roman qu'elle adorait, *Geisha*, d'Arthur Golden, cela m'interpellait. Je butais un peu quand même alors je suis allé voir l'atelier de Brancusi. Je tombe en arrêt devant ses plâtres. Puis, dérobade, j'imagine des touristes japonaises dans des musées parisiens. » Comme un cadavre exquis, un inexplicable haïku balkan, la tortueuse saga se met en place et des créatures dignes de Mishima glissent, patineuses silencieuses et dociles, devant les toiles imaginaires du *story-teller*.

Short cuts

> « Le style, c'est la précision dans le choix des mots. »
>
> Gustave FLAUBERT

Assis dans le lobby du One Aldwych, à Londres, en blouson étriqué Bob Dylan, Romain Duris se remémore toutes les pubs Gaultier : « J'adore, dit-il, hilare, la connotation homo, hétéro, bi, totalement ambiguë. Il y a des hommes superbes qui se transforment par *morphing* en femmes sublimes et sensuelles, et inversement. Gaultier, c'est ma génération, j'ai grandi avec lui. Aller à ses défilés, c'est participer à un moment de fête, avec des divas flashy, des coupes somptueuses. Il travaille dans l'émotif et le sensible. Ce qui me frappe chez lui, c'est le goût du risque. J'ai l'impression qu'il se fout du qu'en-dira-t-on. »

Il s'en fout, en effet. Il existe un Gaultier *shocking* dont personne ne parle, une accumulation de frasques et de gaffes en tout genre qui passent inexplicablement à la trappe. Quoi qu'il dise, quoi qu'il fasse, son casier demeure vierge. Cet homme franchit allègrement la ligne jaune. C'est un bon petit diable qui se serait définitivement débarrassé de Madame Mac'Miche. L'inventaire *border line* débute en 1990. Le voici posant en double page dans *Elle* déguisé en Jean-Paul II avec soutane blanche, calotte submitrale et mosette rouge cardinal. Au revers de sa robe : l'insigne de Aids, le petit ruban rouge de solidarité dans la lutte contre le sida. De cette satire de la plus haute instance ecclésiastique, personne ne s'émeut. Le Vatican ne bouge pas, encéphalogramme plat.

La sulfureuse idée de Jean-Marie Périer passe comme une lettre à la poste. Quant à Jean-Paul, hérétique tranquille, il nie la provocation, préfère parler d'« une dose d'inconscience et de l'expression d'une conviction ». Conviction ? « Si j'ai accepté de me travestir en pape, c'est d'abord parce qu'on portait le même prénom. J'ai même pensé lancer un parfum "Jean-Paul II" à l'époque ! Sérieusement, j'étais furieux. L'irresponsabilité de l'Eglise me mettait hors de moi. L'attitude du pape vis-à-vis du sida était vraiment scandaleuse. Qu'est-ce que le Christ ? C'est l'amour, l'ouverture, la tolérance. S'obstiner à ignorer la maladie, ne pas recommander le port de la capote, c'était une façon d'ignorer le danger et de véhiculer le risque au nom du dogme. »

Même consensus béat lorsqu'il fait valser des religieuses en robes de bure dans le cloître d'un défilé pudiquement baptisé « Pensionnat ». Ou qu'il se grime en reine Elisabeth, en drag-queen, en Lady Di, pour « Eurotrash », un must caustique qu'il anime avec Antoine de Caunes. Jean-Paul Gaultier, élève agité, dispose toujours d'un mot d'excuse en bonne et due forme. Dès qu'il en fait trop, il se meut en Sœur Sourire contrariée et obtient un blanc-seing. Enfant souvent puni par un père autoritaire, il est devenu un adulte à qui l'on passe tout. Hommes en jupe, défilés de rabbins chic, de vierges folles ou de nonnes frivoles, caricature du pape : au-delà de cette limite, son ticket est encore valable. Les censeurs l'assimilent au bouffon du roi, celui qu'il serait vain d'attaquer et, s'agissant de ses excès, l'opinion commente avec indulgence : « Tout ça, c'est du cinéma. »

C'est vrai, Jean-Paul fait son cinéma. S'en nourrit, le secrète, le recycle à sa façon : « Sans le cinéma, je n'aurais jamais fait ce métier. Les films m'enrichissent et me conduisent vers d'autres histoires qui deviennent les miennes. » Comédien ? Non, il s'en sent incapable, trop timide sans doute pour se jeter dans le vide. Il n'a jamais désiré être celui qu'on regarde. Mais de Gabin à Micheline Presle, en passant par Dietrich, Garbo, Brando ou James Dean, il a disséqué leurs mimiques, mémorisé leurs voix, leurs dictions, leurs allures. Ces êtres surnaturels lui ont donné envie d'entrer par la petite porte dans l'usine à rêves. « Vous savez, comme dans ce scénario génial où Woody Allen offre à ses personnages la possibilité d'entrer et de sortir de l'écran à leur guise. Oui, j'aimerais qu'il existe une passerelle entre les films et la vie. *La Rose pourpre du Caire* est la puissante métaphore de cette chimère. » S'il avait vécu à une autre époque, bien qu'il assure se satisfaire pleinement des avantages de son siècle, il aurait aimé être « Mademoiselle Chanel », dit-il en pouffant ou mieux : Jean Cocteau. Dans un de ses shows, il a ressuscité l'angélique Josette Day et le terrifiant Jean Marais se donnant la réplique dans *La Belle et la Bête*. Cocteau ? Il se ravise : « Il était trop sombre, il portait sur son beau visage émacié le masque de la souffrance. »

Pour tout couturier contemporain, l'auteur des *Enfants terribles* incarne l'ultime modèle. Vénéré par Saint Laurent et Lagerfeld, il représente le *kairos* artistique idéal, le trait d'union entre Picasso, Diaghilev, Dior et Proust, la cohabitation harmonieuse du théâtre, du roman, de la musique, de la peinture et du cinéma. Cocteau et son crayon magique, auteur du *Testament d'Orphée*, réalisateur de chefs-d'œuvre sombres et baroques. Gatsby magnifique, fêlé, arbitre des élégances et des bals costumés des Noailles, des Rothschild, indispensable pilier mondain d'un faubourg Saint-Germain insouciant et bohème, enivré de champagne et d'opium. Jean le mal aimé, l'incompris, el desdichado noceur attirant les mécènes à particule et possédant un amant solaire. Omniprésent, touche-à-tout, influent, prolixe, il a réussi en outre au cinéma.

Jean-Paul, lui, se contentera d'habiller des films. Là aussi, il fait preuve d'un mélange d'intuition et d'audace. Son CV est trépidant et gourmand. Peter Greenaway, le premier, fait appel à lui, puis Caro et Jeunet l'immergent dans *La Cité des enfants perdus*. L'esthétique futuriste du *Cinquième Elément* relève de ses croquis. Avec Pedro Almodovar, il lifte la movida, dote Victoria Abril d'une cuirasse SM dans *Kika* et renforce l'aspect poignant de *La Mauvaise Education*. Avec les actrices, sa cote est au plus haut. Elles l'adorent, s'en remettent à lui corps et âme. Homo iconique, surdoué, drôle et modeste, il n'a rien du couturier despotique de l'image d'Epinal. C'est un grand frère aux doigts de fée qui sait, dit Romain Duris, « se montrer bienveillant et s'interdit de juger ». Du coup, il initie Josiane Balasko, pitre national et pilier du Splendid. Leur complicité naît dans les années quatre-vingt. Le hasard les met côte à côte, à l'opéra, jurés gondolants chargés d'élire « La vénus de la mode ». Ce jour-là, ils rivaliseront de blagues de Toto. Peu après, le créateur demande à la comique populaire de défiler pour lui. « J'ai cru à un gag. Moi, mannequin ? On nageait dans l'absurde. » Elle décerne ensuite un César, carapacée dans le fameux bustier conique, taille XL, des ailettes au bout des seins. « Quand je l'ai connu, raconte-t-elle, il fallait entendre le discours des créateurs. Ils se comparaient tous à Michel-Ange. Jean-Paul, lui, ne se prenait pas au sérieux. Il me disait tout le temps : “Moi ? Je fais du chiffon.” Surtout, il était tordant ! » De plus en plus souvent, Josiane assiste, ébahie, aux shows de son nouvel ami – une addition de toiles de maître – mais déplore de ne pouvoir entrer dans aucune de ses robes.

Qu'à cela ne tienne. Jean-Paul lui en concocte une dizaine sur mesure. Pour la comédie *Absolument fabuleux*, tirée de la série télévisée culte mettant en scène deux quinquagénaires *fashion victims* jusqu'à la moelle. Balasko se glisse dans le rondouillard 44 d'Eddie, usante attachée de presse. Son inséparable acolyte interprété par une Nathalie Baye déchaînée s'appelle Patsy. C'est une oisive mondaine et éthylique, une simili-Amanda Lear titubante, scotchée à sa lointaine heure de gloire, dans le Swinging London. Eddie aime à répéter à qui veut l'entendre que Patsy fut la muse de Jagger et Bowie pour « Sister Morphine » et qu'elle est, plus directement, « le trait d'union entre Andy Warhol et

Jean-Paul Gaultier ». Dans cette parodie, Jean-Paul est cité toutes les deux phrases. Une longue séquence retrace un défilé de la rue Saint-Martin où Josiane-Eddie rampe sur le podium, baise les mains de son idole juste avant d'arracher à Farida l'accessoire-phare de la collection : une minaudière cubique en forme d'aquarium où barbote un poisson rouge vivant !

Dans cette comédie-vitrine, sont recensés quelques indémodables : des combinaisons-pantalons patte d'ef *flower power*, des gaines à seins guerriers et armatures métalliques et des tailleurs pied-de-poule *op art* avec sacs Kelly assortis. Le film prolonge l'amitié des deux *workaholics* : « Jean-Paul est comme moi, hyperactif, confie-t-elle. Même en vacances, je suis sûre qu'il passe l'aspirateur ! » Ils se croisent le matin, boivent parfois un café crème sur la place Charles-Dullin. Ils habitent à deux cents mètres l'un de l'autre, dans le neuvième arrondissement, avenue Frochot.

La rencontre avec Isabelle Adjani n'a pas lieu à Pigalle, mais rue Agrippa-d'Aubigné en 1982. C'est un Gainsborough qui pénètre dans le deux pièces de l'île Saint-Louis. Francis et Jean-Paul contemplent cette Ondine éthérée – yeux bleus, cheveux noirs – dotée d'une syntaxe de normalienne. Adjani, précise, démarche de page, voix cristalline, gestuelle d'infante, examine les toilettes empilées. « J'étais extrêmement flatté, se souvient Jean-Paul. Elle était venue me demander la robe en velours à seins coniques de la collection "Barbès" qu'elle souhaitait porter dans *L'Eté meurtrier*. Elle l'a essayée devant nous et, évidemment, cela lui allait divinement. » L'Eliane de Jean Becker, issue du prolétariat, séduira Alain Souchon en robe frangée de minette Prisunic. Le modèle Gaultier déjà « tendance » aurait dénoté dans l'univers âpre et rural de ce drame populaire. Mais la présence magnétique de la jeune star, sa simplicité ingénue, impressionnent durablement le couple. « Au bout d'un moment, poursuit Jean-Paul, elle a réussi à nous faire oublier la cape noire, les lèvres gercées, le regard perdu, fébrile de la fille de Victor Hugo filmée par François Truffaut. Adèle H, Francis et moi, bavardions, assis par terre comme trois gosses, en suçotant des bâtonnets de glace Häagen-Dazs !! »

On retrouve bien sûr cette visiteuse d'un jour aux défilés, ces petits happenings saturés d'idées et d'allégresse. Isabelle, souvent aux premiers rangs, ne tarit pas d'éloges sur ces trouvailles. L'œil myosotis s'arrondit, l'index trace une spirale imaginaire. Au bar de l'hôtel Daniel, devant une tasse de lapsang-souchong, la vestale électrique, toute de noir Yamamoto vêtue, décrypte : « J'adore le créateur. Il est remarquablement doué. Je me souviens d'une collection entière dédiée à Jaqueline de Ribes, il a le sens de l'hommage, de la dédicace et tout son travail peut être lu comme une référence au cinéma. Et puis, il est passé à la couture en respectant ce qu'elle a de plus prestigieux. On sent chez lui l'estime du travail manuel, le labeur en coulisse des petites mains, des premières d'atelier. Il en parle merveilleusement, en grand amoureux de l'artisanat. Il fait partie des gens qui ont rendu leurs lettres de noblesse à ces corps de métier. Il allie de façon unique la gaieté à la distinction. Il explore des pistes délirantes, le spectacle, l'excentricité. Mais il est resté infiniment fidèle à la tradition, à ce geste essentiel et minutieux qui consiste à broder un point à la main. »

Dans le sérail, Adjani possède un statut marginal, patrimonial. Elle est la fille d'Hugo, la reine Margot, Camille Claudel, faite pour transcender des souveraines et des mythes. De ces parures somptueuses, Gaultier s'inspire. Immergé dans l'univers du luxe, il a su, selon elle, conserver son identité profonde : « Le luxe n'exclut pas une touche de transgression, de provocation, d'impertinence. Autant la mode racole, autant le luxe suppose du temps, de l'invariance, de l'intemporalité. On n'achète pas le temps. Jean-Paul établit l'alliance entre le rétro, l'avant-garde et la modernité. Artiste, il façonne des associations folles ou sages. Il est immense et ludique. »

Sur le *red carpet* du Festival de Cannes, on repère instantanément ses silhouettes ludiques. Quand elle a la chance d'être vêtue par Gaultier, l'actrice obtient un supplément d'humour et d'éclat : Victoria Abril et ses faux culs légendaires, Charlotte Rampling en smoking moiré, Béatrice Dalle en fourreau trompe l'œil. A Hollywood, idem : en 2003, Nicole Kidman, inquiétante Virginia Woolf dans *The Hours*, vient chercher sa statuette en total look bleu marine Gaultier et, en 2008, la môme Cotillard sanglote en robe de sirène virginale. Le sorcier français aimante les oscars !

Mascotte des stars, Jean-Paul ? Sans aucun doute. Peu à peu, il acquiert un statut de chouchou, de talisman, d'ange gardien de ces dames. Peut-être, parce que, très vite, comme l'affirme Farida, « il a réussi tout ce qu'il touchait », qu'il a eu « la grâce » – formule de Tina Kieffer, directrice de la rédaction de *Marie Claire*.

« Le désir est son carburant », résume Anne-Florence Schmitt, chef de file de *Madame Figaro*. En digne petit-fils d'une mémé un peu magnétiseuse, médium à ses heures, le créateur pratique la superstition à haute dose et préfère invoquer, rationnel, « son travail acharné ». Il n'empêche. Toutes veulent hisser son pavillon, s'entortiller dans ses robes-smokings, afficher ses tailleurs à rayures tennis masculin-féminin dont la coupe au scalpel rappelle celle de Saint Laurent. Incontournable épigone, indétrônable arbitre des élégances à qui Catherine Deneuve ne fausse compagnie, en pleine fashion week, que pour assister au travail de Gaultier. Le splendide manteau en autruche noire de *La Sirène du Mississippi*, les robes rectangle faussement sages de *La Chamade*, les jupes-portefeuilles de *Belle de jour*, tous ces objets du désir signés Yves et sublimés par la blonde beauté du cinéma français entrent dans les archives du siècle. Au troisième millénaire, il faut passer le flambeau. Dietrich ? Dior. Hepburn ? Givenchy. Deneuve ? Saint Laurent.

Mais Jean-Paul, l'homme aux mille égéries, est en embuscade, fait sa cour discrète à la demoiselle de Rochefort. Et ce qui devait arriver arrive. La créature échappe à son Pygmalion. Pour les beaux yeux de sa mère, Chiara Mastroianni, adolescente, encore inconnue et dotée d'un appareil dentaire, défilera sur son catwalk. Peu à peu, la grande Catherine se montre à la ville en JPG. Il ne s'agit pas d'infidélité puisque, aussi bien, Yves vient de quitter la scène et, ironie du sort, Gaultier Couture offre sa première présentation l'année où Saint Laurent, en pleine gloire, quitte la scène.

Elle intronise discrètement le moussaillon de la haute et Pierre Bergé contresigne l'hommage en déclarant qu'avec Jean-Paul, on ne peut rêver meilleure filiation. Les temps changent. « Son admiration profonde pour les stars n'est pas feinte, confirme Frédérique Lorca. Il est fasciné, se comporte avec elles en petit garçon intimidé. » Lorsque « Madame Deneuve », comme il l'appelle avec déférence, pénètre à l'Avenir du Prolétariat, elle est évidemment accueillie en reine de la scène. Le créateur, dans ses petits souliers, fait la conversation, offre thé et gâteaux. Il est à la fête. « Elle est intelligente et drôle, raconte Faïza, assistante du studio de création. Elle sait très bien ce qu'elle veut et se montre tout à fait capable de diriger les essayages. Il faut l'entendre dialoguer amicalement avec la première d'atelier : "Voyez, Mireille, vous aviez raison. Il fallait raccourcir, là." » C'est vêtue par lui qu'elle a reçu en 2008, à Cannes, un prix spécial pour l'ensemble de sa carrière. Rue Saint-Martin, elle affectionne les trenchs souples, commande des robes vert anis, bleu cobalt et rouge tomette. Récemment, elle a confié à Jean-Paul le redoutable vestiaire de Madame de Merteuil dans la version actualisée qu'en a donné Josée Dayan pour la télévision. Ayant visionné les trois remakes du chef-d'œuvre de Laclos, celui – très surpat'à Gstaad – de Vadim et les deux splendeurs dix-huitiémistes de Stephen Frears et de Milos Forman, le couturier opte pour un libertinage dépouillé de ses attributs somptuaires. La guerre est interne, cérébrale, lexicale, la parure doit s'estomper pour mettre en valeur le duel des mots. Il abuse donc de lignes strictes et d'étoffes noires ou rouge sang. Dans sa vision des *Liaisons dangereuses*, Valmont, Danceny et Cécile de Volanges portent le deuil des sentiments.

Avec ses yeux pervenche, son port de tête, son teint de porcelaine, son sourire chinois, son phrasé posé, Kristin Scott Thomas aurait fait une admirable Madame de Tourvel. Dans le patio de l'hôtel de l'Abbaye, enveloppée d'un châle de cachemire marine, elle feuillette dans un magazine féminin la dernière collection du kamikaze de la coupe. Cette abonnée au « *less is more* » craque – qui l'eût cru ? – pour les hyperboliques hommes en jupe : « Les voir en kilt, avoue-t-elle, ça me rend dingue ! » JPG et elle (« je suis de la même promo, j'ai mûri avec lui »), c'est une longue histoire. Son premier cachet – une comédie musicale improbable où elle donnait la réplique à Prince –, elle le flambe intégralement dans une de ses boutiques. Elle en ressort avec un ensemble de garde maoïste bleu de chine qui trône encore dans son dressing. Lorsque Kristin monte les marches cannoises, c'est en fourreau patchwork de jean à jupon dentelles ou en déesse grecque blanc crème. « Son style est reconnaissable entre tous. C'est un génie de la coupe. Il met en valeur les courbes des femmes, il prend des classiques qu'il détourne légèrement. Sa touche ? Un mélange de glamour hollywoodien des années cinquante et de débraillé punk. »

« Punk sentimental » : la sculpturale Marina Hands le dépeint ainsi. L'oxymore lui va assez bien. Fille de Ludmila Mikaël et sulfureuse *lady Chatterley*, sa composition entièrement nue cent vingt minutes durant lui a valu d'être césarisée du premier coup. Quand elle n'habite pas l'univers sulfureux de DH Lawrence, Marina paraît sur la Croisette, habillée cette fois, et par Gaultier qui, pour Hermès, l'a drapée dans une longue tunique en panne de velours noir. « J'avais la sensation d'un tracé, d'un geste dans l'étoffe », dit-elle émue. L'homme ? Elle le trouve solaire : « Adolescente, il me fascinait. J'entendais qu'il recrutait des mannequins beurettes, vieilles, boulottes. Et puis, il y a cette personnalité rayonnante. On a tellement besoin de gens à rebours dans cette société formatée où même ce qui est sulfureux devient conventionnel. C'est tellement malin de sa part d'être libre, de faire de la provocation mais avec légèreté et élégance. »

Trentenaire, issue de la mouvance Marc Jacobs, un sac Balenciaga sur l'épaule, l'intello frivole vote Gaultier : « Il jette des ponts entre passé et présent, ne veut pas alourdir l'existence et poétise la mode. Quand je le vois en interview, je trouve qu'il n'a pas changé du tout en trente ans. Il continue à ne pas se mettre en scène, à ne pas céder au *show off*. Rien dans sa posture ne semble étudié, calculé. Comme s'il était totalement en accord avec lui-même. »

Est-ce cette authenticité bluffante ? Cette non-allégeance à la société du spectacle alors qu'il en est l'un des piliers, ce côté cash mais sans violence, qui lui vaut ce label de rebelle zen, d'honnête homme, dans un univers de grands trafiquants du sentiment ? Partout, sa spontanéité hors norme suscite un vrai engouement, une forme de respect. C'est insolite. Et les autres ? Passons en revue les joueurs de la *dream team*.

John Galliano, d'abord. Il est entré dans le sérail à la vitesse d'un scud, doublant tous ses challengers sur la ligne d'arrivée Dior. Bernard Arnault confie son vaisseau à ce pirate trash qui n'en fait qu'à sa tête. Son esthétique coup de poing, sa lecture philharmonique de l'histoire de la mode, son zapping scénographique lui valent une *standing ovation* à chaque show. Mais il est resté l'étudiant dissident de la Saint Martin's School, un Harry Potter ibérique jaloux de ses sorcelleries. Contrairement à Karl, il ne voue aucun culte aux lettres françaises et ses interviews sont données en anglais. Une certaine arrogance de nomade incompris l'éloigne de l'Hexagone. Noceur, clubber, tourmenté, on ne sait rien de lui. Ses proches le savent pourtant fan de Jean-Paul. Peu après la présentation des « Rabbins chic », il est allé incognito rue Vivienne s'offrir une chapka de talmudiste et l'a portée toute une saison comme un talisman. Selon Olivier Saillard qui connaît bien les équipes : « Chez Galliano, il n'y a, en moins bon, que ce que j'avais toujours vu chez Gaultier. Il en fait une caricature que ce soit pour l'homme ou pour la femme. » Dans le prudent milieu de la presse de mode, cela ne se dit pas. Mais il suffit de feuilleter les books : la dimension plagiaire saute aux yeux. De John, on dit qu'il est doué, inclassable, incontrôlable, mais de son charisme, on ne parle pas. Galliano est un arrière nerveux.

Marc Jacobs, petite quarantaine, visage mélancolique, lunettes rectangles, baby-clône hygiénique de Saint Laurent, est la coqueluche des jeunes filles en fleurs. Il les cueille par les pieds. Il est entré dans la danse par une ballerine vedette, ornée d'une tête de souris. Puis, en dessinant des robes de baby-doll à Sofia Coppola et à ses copines virginales, suicidaires ou en jet-lag à Tokyo, il a inventé, bonne pioche, le casual-hype. Ce cas très abouti de pipolisation intello-impubère d'une griffe demeure sans précédent. Vuitton annexe donc ce talent graphique qui relooke l'antique monogramme en sacs chamallows furieusement tendance. A Manhattan, on l'a vu récemment en jupe anthracite. Rue Saint-Martin, devant l'ampleur de l'emprunt, on s'est demandé s'il s'agissait d'ignorance ou d'outrecuidance. Débonnaire, pop philosophe, New-Yorkais *french touch*, il manque de maturité et d'idées. Jacobs est un goal efficace.

Reste Karl, hypericône. Son aura électrise, tyrannise, terrasse. Du photographe débutant à la rédactrice de mode aguerrie en passant par l'attachée de presse tétanisée, le hussard au catogan suscite une transe quasi militaire. A heures fixes, le diable s'habille en Lagerfeld. Lui se tient raide, au garde-à-vous, rigidifié dans son uniforme-carapace, col cassé et mitaines, néo-von Stroheim toujours prêt pour un remake de *La Grande Illusion*. Ici et là, on le rebaptise « King Karl », « le Kaiser », « le Tueur à gages », des surnoms à connotation guerrière. Drôle, vachard, érudit et tactique, cet être ultranarcissique détourne les coups portés contre lui en se dissimulant derrière son faux *self*, ce pictogramme guindé qui lui tient lieu d'alter ego. « Je suis une marionnette », déclare-t-il afin de décourager toute attaque *ad hominem*. Il cite Hölderlin, Bresson et Amy Winehouse dans la même phrase. Son interlocuteur a toujours l'air vaguement inculte, en retard d'un bon mot, d'une vanne ou d'un *gossip*. Ses groupies vantent « son savoir encyclopédique ». Karl est un attaquant.

Rue Saint-Benoît, elle gare son scooter, ôte son casque libérant une crinière auburn d'amazone, déplie son mètre soixante-seize de libellule rock. Anna Mouglalis possède la beauté du diable, un ovale de madone et le timbre baryton-basse de Keith Richards.

Cocktail détonnant. Avec le sublime petit manteau de crêpe noire que Karl lui a donné hier, elle porte un jean troué et des Converse blanc cassé. *A touch of class*, repérée très tôt par Lagerfeld, mentor, passeur et dealer culturel : « Karl a un immense respect pour Gaultier, révèle-t-elle. Selon lui, il est l'un des seuls à posséder une vision et une culture. Moi, j'aime l'homme, son charme. Il est infiniment joyeux. Sa mode incarne la fête, la couleur, le bonheur. Son excentricité ouvre la voie à celle de Galliano. Et le rire lui appartient. »

Le rire, le clin d'œil, le gag, l'extravagance, l'autodérision : toutes attitudes déclarées antinomiques de la mode par Roland Barthes dans les années soixante. Il est vrai que Jean-Paul a tout chamboulé en déboulant sur cette scène rigidifiée. Ironiques à la scène comme à la ville, ses *stand-up* démontrent que l'élégance et le rire sont enfin compatibles. Karl Lagerfeld vit dans une bulle sanitaire, protégé du monde par un aréopage de gardes du corps. Dans son hôtel particulier, une gouvernante, un majordome et un secrétaire veillent sur lui. Une limousine vient le chercher pour parcourir les cinq cents mètres qui séparent sa maison de son studio-photo, rue de Lille. *Walking distance ?* Connaît pas. Même en visite à Pékin, il n'a pas fait trois pas tout seul. Phobique du contact humain, il n'opère jamais sans ses gants chirurgicaux, appelés « mitaines », et ne se déplace qu'en milieu stérile. Il faut dire que partout où il passe, le Kaiser crée l'émeute.

Jean-Paul mène une existence contraire. Quand on l'aborde dans la rue, il discute courtoisement avec ses congénères. On l'aperçoit fréquemment seul, faisant la queue dans un cinéma de quartier. Avenue Frochot, pas de staff mais un cuistot et une femme de ménage. Il vient d'acquérir une Audi noire mais il a toujours l'air de s'excuser de déranger le gentil monsieur en costume qui lui sert de chauffeur, lui qui n'a jamais décroché son permis. Jelka Music, attachée de presse tonique qui vient d'arriver chez Gaultier après six années remuantes auprès de John Galliano, a radicalement changé de vie. Avec John, il fallait appeler un kiné en urgence pour un massage express, contacter une esthéticienne, décommander une interview, affréter le jet privé. En comparaison, l'emploi du temps de l'homme de la rue Saint-Martin est plus zen. On ne l'a jamais vu plastronner, geindre ou pontifier. Solaire, rieur, empathique, conscient du cadeau que lui a fait la vie en réalisant son rêve de gosse, Gaultier rend au centuple ce qu'il a reçu. Et le public le sent. Ce coach à l'ego minimaliste, ce Monsieur Tout-le-monde-un-peu-tout-fou a été sacré capitaine d'équipe. Logique : il a le bon œil sur la lucarne, un moral d'acier et ne joue pas « perso ».

Paris est une fête

« Ceci n'est pas une pipe. »

René MAGRITTE

Quand elles voient le jour, les collections couture n'ont pas de nom de baptême. On les appelle sobrement Gaultier-Paris. La date et la saison seules les distinguent des précédentes. La disparition du titre résonne comme un glissement progressif vers l'excellence, une aspiration à la simplicité suprême, une tension vers l'épure. Le patronyme isolé apposé au nom de la ville lumière inscrit le créateur dans une sphère atemporelle où claque sa signature. Deux éléments font sens : l'état civil et le lieu. Par cette métonymie luxueuse, l'essentiel surgit comme un label, un parfum, une essence. Gaultier-Paris, toujours différent de saison en saison, à la fois le même et un autre, démultiplié, euphémisé, revient en scène en échappant au piège de l'éphémère. Il pérennise son nom de mode : Gaultier-Paris, ce n'est pas un énoncé pour la couture. Cela évoque plutôt une adresse, un nom de code. Grâce à ce subterfuge, la collection-logo ne se dilue pas, elle se localise, s'ancre, s'enracine et se remémore sans se répéter. Jean-Paul déniche donc un petit sentier vers l'éternité. Pour les trouvailles sémantiques en tout genre, on peut lui faire confiance.

De même qu'on scandait « ça, c'est Paris ! » en applaudissant Mistinguett aux Folies-Bergère, on s'exclame « ça, c'est Gaultier ! » en apercevant ses marins parfumés ou ses walkyries punk. Le trait d'union est établi. Le petit gamin de banlieue se veut expert de la capitale. Il sillonne les rues historiques du Marais, se faufile avec nostalgie dans les trois passages qu'affectionnait Paul Léautaud, le passage Jouffroy, le passage de l'Opéra et le passage Verdeau où trône un petit robinet d'eau de Cologne rétro. Dès qu'il a pu quitter le triste appartement familial d'Arcueil, il a emménagé avec Francis rue François Ier : « J'avais vingt-trois ans. C'était notre premier "chez nous". On a beaucoup bougé ensuite : il y a eu la rue de Chateaudun, la rue Agrippa-d'Aubigné, et la rue Fontaine. »

Piéton de Paris, il raffole de la rive droite, déambule dans ses marchés et tombe en 1986 sous le charme de la galerie Vivienne. L'immeuble qu'il convoite est un ancien théâtre de marionnettes qu'il va recycler en siège baroque, hyperbolique. Avec son escalier Grand Siècle classé monument historique, ses fresques néo-Pompéi au sol, ses cabines d'essayage conçues comme des vespasiennes antiques, la boutique de la rue Vivienne devient un must touristique. Les guides de la capitale le recommandent au même titre que la Bibliothèque nationale. Il faut dire que, grâce au créateur, tout le monde redécouvre cette merveille architecturale désertée, ce pont des Soupirs niché derrière la place des Victoires.

Paris-Paname, Paris-canaille : on dénombre une quinzaine de collections dédicaces. Gaultier explore en graffiteur le ventre de Paris, en extrait des passantes de Ménilmuche, des femmes de Pigalle, des touristes de la butte Montmartre, des filles endimanchées boulevard Voltaire. Tournant le dos à la rive gauche de Saint Laurent, il arpente un bitume de fête foraine et de barbe à papa. Baudelaire souffrait du spleen de Paris, lui s'enivre de son macadam festif et gouailleur. Faxant des cartes postales kitsch, détournant les emblèmes touristiques locaux, il chausse ses modèles de petites tour Eiffel à l'envers, coiffe ses Arletty de galures en rafia et se joue des lieux communs. Dans la tête, il a son *Quai des brumes*, ses *Enfants du Paradis*, son *Drôle de drame*. Les répliques cultes de Morgan, Gabin, Jouvet et les autres serviront d'ailleurs de bande-son au défilé « La concierge est dans l'escalier ».

Les croquis présidant à « French cancan » en 1990 restituent de nouvelles goulues en béret, fardées comme des geishas. Le tracé imite parfaitement celui de Toulouse-Lautrec et des affichistes du Moulin-Rouge. Quand ses danseuses font le grand écart, une avalanche de tulles et d'étoffes s'abat sur le podium. Mais les jupons blancs sont devenus des plumes d'autruche vert perroquet et les bas-jarretières se jettent dans des rivières de collants fluo. Paris est son bleu Klein. Toujours, le crayon revient sur le canevas, brode obsessionnellement les contours d'une Parisienne archétypale mais vidée de ses clichés.

Récurrence du titre : La Parisienne punk (97), Elégance parisienne (haute couture, automne hiver 98-99), Les Parisiennes (2000), Paris et ses égéries (2001),

La Parigote (2002), Les Parisiennes gitanes (2005). En 1998, il reformule Marie-Antoinette, reine des élégances prérévolutionnaires, corrige Odette de Crécy d'une robe-sablier vieux rose ornée de dragons japonisants et piquée d'immenses éventails de dentelle blanche, nouveaux cattleyas. Des costumes blancs à basque de dandy Brummel annoncent le retour de l'Empire et une néo-Barbara à profil d'aigle noir affiche un tailleur-pantalon en tweed strict, chahuté d'une étole de vison portée en bandage herniaire ! Jean-Paul, anachronique, syncrétique, peut brasser trois siècles et dix thèmes différents dans une même saison, là où ses confrères peinent à trouver une seule bonne idée. Sa fertilité suscite l'admiration. Parfois, aussi, elle décourage ses troupes qui ne suivent plus, égarées dans son déluge de trouvailles. Faïza redoute ses fulgurances de dernière minute : « Il lui arrive de me téléphoner quand il est au bout du monde. "Tu sais, j'ai pensé à un truc." Et il se lance à deux cents à l'heure dans la narration d'une toilette à laquelle, bien sûr, je ne comprends rien. "Tu vois la piste ?" conclut-il. » Non, Faïza ne voit pas. Elle lui suggère alors de lui envoyer un fax, ce qu'il ne fait pas, bien sûr. Jean-Paul est assez fâché avec l'informatisation des voies de transmission ! Catherine Lardeur, sa fée des Lilas, travailla un temps sur la couture. « Il se démultiplie, constate-t-elle, digresse, fait trop de croquis, explore des dizaines de directions. On a envie de lui dire de diminuer la production. »

Il sait que cette boulimie chronique déstabilise son entourage mais c'est plus fort que lui. Son cerveau procède par association d'idées. Digressif, il passe d'un phonème à une image, d'un scénario à un texte, d'un concert à une histoire. Son imaginaire s'empare de mouvements et de sons. Ce bolide conceptuel n'a pas de système de freinage. Contredire Jean-Paul ? Impossible. C'était la prérogative de Francis. Nul après lui n'a pu jouer un rôle critique. « Je mets très longtemps à savoir ce que je veux mais après, plus personne ne peut m'arrêter. Je me sens porté par une certitude, c'est viscéral. Alors je passe d'une image à l'autre sans transition. J'essaye de canaliser mais il y a tant de choses à faire ! A la limite, je ne m'arrête pas. Et je sais que c'est un gros défaut. » Cet aspect « tonneau des Danaïdes », Olivier Saillard le souligne : « Trente ans de mode, un désir et une inspiration intacts ? J'ai beau chercher, je ne vois pas d'équivalent dans le métier. »

L'esthétique parisienne débute donc par une surprise, en 1982. La collection « Les existentialistes » place l'histrion sous le signe de la philosophie. Intello-styliste malgré lui, il offre une seconde jeunesse au mythe du Flore et des Deux Magots. Il zoome sur Sartre rédigeant son dernier manuscrit en attendant le Castor enturbanné qui débarque, son cabas en cuir gonflé de pétitions à la main. Rupture stylistique absolue. Le thuriféraire de la punk attitude donne, délice suprême, dans la nostalgie germanopratine d'après-guerre. Pêle-mêle, sur son catwalk, déambulent des Juliette Gréco fatales en robe-col roulé de jersey anthracite, flanquées de fume-cigarettes fixés sur leurs porte-jarretelles, un Charles Trenet, une Edith Piaf, des voyous en cuir tout droit sortis des *Tricheurs*, des zazous rockant jusqu'à l'aube au Tabou. Ce Saint-Germain-des-Prés swingué par Hollywood dans *Un Américain à Paris*, Gaultier le revisite couleur sépia. L'existentialisme est-il un humanisme ? Oui, répond Gaultier, à condition d'adhérer aux thèses de Jean-Sol Partre, dans *L'Ecume des jours*.

L'idée, il la puise dans le roman. Elle se développe au son de la trompinette de Boris Vian. S'y ajoutent les rats de cave, les volutes de fumée et les standards de jazz de cette jeunesse insomniaque stylisant Paris. « J'aimais aussi à la folie *Funny Face* (*Drôle de frimousse*), une comédie musicale de 1956 de Stanley Donen. Audrey Hepburn y était à l'apogée de son chic, leggings noirs et ballerines plates. L'intrigue qui se déroulait à Paris s'ancrait dans les milieux de la presse de mode et on choisissait cette petite libraire inconnue pour incarner la nouvelle image d'un grand magazine américain. Fred Astaire interprétait le photographe et Michel Auclair campait un prof de philo imité de Sartre. Le tout était supervisé par Richard Avedon, ce qui donne au film un ton *Harper's Bazaar*. En tant que comédie sur la mode, ce film est dix fois supérieur au *Diable s'habille en Prada* ! »

Voilà comment, en intégrant dans sa banque de données Boris Vian, Juliette Gréco et Audrey Hepburn, le logiciel Gaultier recrache sa version de l'existentialisme. Cédric Klapisch, inconditionnel du styliste et amoureux fou de la capitale, voit en lui un héritier de l'esprit parisien. « Il capte ce que la ville recèle d'irrévérence, de mélange de chic et de gouaille. Chanel et Saint Laurent la célébraient autrement, avec respect, dans la sophistication. Lui en fixe la révolte, l'impertinence. Il décrit la Parisienne métissée, périphérique dans toute sa diversité. On dit souvent que les créateurs s'inspirent des cinéastes mais il faut ajouter que, nous aussi, nous puisons nos idées dans leur univers visuel. »

Parce que l'Avenir du Prolétariat, le siège Gaultier, rue Saint-Martin, est un lieu emblématique, Cédric Klapisch y a filmé un défilé pour son film choral « Paris ». Agyness Deyn en tutu et Farida Khelfa en trench panthère y figurent. Juliette Binoche et Romain Duris sont vêtus « maison » : « Ce que j'aime chez lui, poursuit le réalisateur de *L'Auberge espagnole*, c'est qu'il est entier. On a tendance à se moquer du monde de la mode. Or, les gens qui travaillent avec Gaultier sont très pratiques et vivent leur métier intensément. Ils ne sont pas snobs, ne font pas du "joli". Selon moi, Jean-Paul Gaultier fabrique de la pensée. »

S'il en fabrique, c'est par inadvertance. Le monde des idées ne le stimule pas outre mesure, ses lectures sont biographiques. Aux doctrines, il préfère les destins. Marlon Brando, James Dean, Jacques Dutronc, Paulette Dubosc, Michel Polnareff, Yves Saint Laurent : il dévore des vies. En littérature, ses bases sont classiques et sommaires : Balzac, Zola, Camus, Mauriac avec un détour fantaisiste chez Louise de Vilmorin et un coup de cœur récent pour le best-seller *L'Elégance du hérisson*. L'histoire de cette concierge érudite l'émeut jusqu'aux larmes. « C'est un autodidacte pur et dur, rappelle Claudia Huidobro, il se méfie des diplômes. » « Oh, toi et tes longues études à la Sorbonne ! » dit-il à Frédérique Lorca lorsqu'elle argumente un peu trop. C'est en première que sa scolarité s'est interrompue et, en 68, alors que le quartier latin est encerclé, l'apprenti couturier ne lit pas Karl Marx mais Guy des Cars : « Je trouvais cela totalement romantique, quoique assez déconnecté de la situation de crise. » Freud ? Il en est sympathisant, non pratiquant. Lorsqu'il perd Francis, se retrouve seul, en deuil, après quinze ans de vie commune, sa cousine Evelyne le force à consulter un psy. Il se borne à trois séances puis plaque le divan, peu convaincu par la tournure de la cure. En revanche, la réalité symbolique du complexe d'Œdipe l'intrigue. Attaché au plus haut point à sa grand-mère maternelle, il ne s'est jamais interrogé sur le chagrin qu'avait pu causer à sa mère cette affection exclusive et proclamée : « J'ai peut-être sauté un chaînon, et vécu mon Œdipe avec ma grand-mère, admet-il. Une ou deux fois, maman s'est montrée agacée de l'admiration sans borne que je vouais à sa propre mère. » Irritée, déçue, mise à l'écart et sans doute jalouse… Dans ses rêves, autre grand totem freudien, Jean-Paul observe la récurrence d'un couteau qu'un individu lui plante dans le dos alors qu'il monte un escalier. Il adorerait en connaître la signification, d'autant que, dit-il : « Je me réveille endolori, inquiet comme si on m'avait vraiment attaqué. » Pour un homme apparemment détaché des angoisses existentielles dont souffrait Saint Laurent qui ne créait que dans la douleur, Gaultier, faux serein, traverse des nuits hitchcockiennes ! Ce poignard nocturne ne personnifierait-il pas les centaines de censeurs muets qui lui en veulent d'avoir accompagné et habillé la révolution des mœurs ?

Clovis Cornillac, jeune premier *bankable* du cinéma français, n'est pas à proprement parler un homme en jupe. Il adopte un look street-strict de trentenaire réservé. Mais sur la contribution de Jean-Paul aux mutations d'époque, il possède un point de vue : « En faisant considérablement avancer la mode, il a influencé l'architecture, le théâtre, le design et les façons de penser. Les jupes pour homme, c'était une manière de poser des questions taboues : Qu'est-ce qu'un homme ? Y a-t-il des hommes-objets ? De façon radicale, il a questionné les identités et les places du masculin et du féminin. »

Le magicien d'ose

> « Guenille, si l'on veut : ma guenille m'est chère. »
>
> MOLIÈRE

S'il existe une posture impitoyablement raillée dans le milieu de la mode, c'est celle du penseur de Rodin. Les couturiers ne cogitent pas, activité grotesque. Ils observent, captent, zooment, dissèquent. Comparer Karl Lagerfeld à un intellectuel – lui qui déteste déménager parce qu'il ne sait jamais comment déplacer ses centaines de livres rares – suscite chez ce collectionneur une tonitruante levée de boucliers : « Ah ! non. Je hais le mot. Il est tarte. Il sent l'encaustique et le rat de bibliothèque. » Jean-Paul est moins véhément. Mais il est assez surpris d'être considéré comme un styliste qui pense le monde et milite en kilt.

Chez Angelina devant un chocolat fumant, l'œil pétille et la main jongle. Son Altesse Royale, princesse de Savoie, de Venise et de Piémont, alias Clotilde Courau, n'en démord pas : « Sur la mixité de la société, Gaultier est complètement novateur. Le courant ethnique, les métissages, la diversité, il les a anticipés, annoncés, promus dans ses lignes. Assumer sa différence, déplacer les canons de la beauté stéréotypée : il en a fait une philosophie et un style. Il me paraît juste de le décrire en révolutionnaire. »

Révolutionnaire ? Che Guevara en marinière, alors. Ou leader de velours. Arcueil, banlieue communiste, prédispose sans doute aux idées de gauche. Devenu adulte, connu en mai 81, Jean-Paul qui a beaucoup traîné ses guêtres dans les parages du mitterrandisme ne s'est jamais fait récupérer par les stratèges du pouvoir. Et pourtant, il est, par excellence, l'homme des premières fois. Premières Beurettes, premières boulottes, mannequins seniors, gueules cassées aux défilés, Barbès hissé au programme des élégances, jupes et robes dévoilant des mollets poilus d'hommes-objets !

« Il ne dit jamais que son action est politique, relève Claudia Huidobro. Et pourtant, chez lui, tout est politique. Elire comme siège social l'Avenir du Prolétariat, ce n'est pas complètement anodin, non ? » Autre première : sous son mandat, des milliers d'anonymes entrent, sans carton, aux Halles de La Villette. Tout le monde devient un *beautiful people*, même le mari de la concierge. « Si ça, ce n'est pas un manifeste démocratique, souligne Olivier Saillard, qu'est-ce que c'est ? Il ouvre les portes du défilé aux masses, popularise la mode. Il ne dit pas que c'est un acte politique parce que son vocabulaire et sa façon d'être sont plus spontanés et sensitifs. Mais ce n'est pas pour rien qu'il vient de la rue et que jamais il ne renie ses origines modestes. »

Rue Saint-Martin, il recrute à l'identique. Middle class, milieu populaire, melting-pot multiethnique : la discrimination positive va de soi. Parmi les cent vingt employés de l'entreprise, on trouve des Japonais, des Coréens, des Blacks, des Beurs. Faïza, originaire du Maroc, observe cette caractéristique depuis quatorze ans : « Quand il a fait son défilé entièrement composé de mannequins noires, j'ai été terriblement émue. Il est profondément attiré par les cultures différentes, les étrangers l'enrichissent. C'est un homme ouvert sur le monde et c'est amusant parce qu'au fond, pour moi, il représente le Français populaire type !! »

Ce pur produit du baby-boom, ce petit-fils-de-Français-moyen, est devenu, selon Farida Khelfa, *cover-girl* vedette de la mouvance antiraciste, un vrai patron de gauche : « Il a toujours milité pour la mixité sociale et le métissage. C'est la seule maison de couture que je connaisse où les gens sont tous issus du prolétariat. Partout ailleurs, on trouve ces filles de famille dont les noms à rallonge tiennent lieu de CV. Lui, à compétence égale, il embauchera forcément quelqu'un qui vient des couches populaires. » Gaultier, infirme en xénophobie, n'est pas insensible au charme des peaux basanées, mates, dorées, garçons et filles confondus. Viscérale aussi et formulée souvent : son aversion pour l'homophobie : « J'ai un sixième sens pour repérer les racistes, poursuit Farida. Eh bien lui, possède le même flair appliqué aux homophobes. Il a toujours été militant, récoltant des fonds pour la recherche contre le sida, sans la moindre ostentation. Mais cela va plus loin. Il me sidère quand il pointe des propos antigays chez des gens connus *a priori* insoupçonnables. Il se refuse à assimiler cela à de la "beauferie". Pour lui, c'est plus grave et je crois qu'il a raison. »

Rebelle à gueule d'ange, militant sans avoir l'air d'y toucher, rock star des podiums, il a introduit en outre un tropisme érotique dans un discours qui pratique habituellement l'euphémisme. Le commentaire de mode s'accommode assez mal d'épithètes crues. La tenue affolante est décrite, au mieux, comme « séduisante », « troublante », « coquine », « déshabillée ». Dans les comptes rendus critiques, il a fallu corser les litotes, car, comme l'affirme Romain Duris, le premier atout de la femme Gaultier, c'est qu'elle invite au libertinage : « Il a quand même mis énormément de sexe dans ses collections, non ? » Assez en tout cas pour ouvrir la voie au porno chic promu par Versace ou Dolce & Gabbana. Assise à son bureau, plus accoutumée à décrypter les mots-valises de Lacan que les signifiants des vignettes de mode, l'historienne de la psychanalyse, Elisabeth Roudinesco, examine les matelots, les toréros, les marquis touaregs et les vamps dénudées du créateur. Côté garçons : « Il met en scène les Noirs, les Arabes, les physiques marginaux, les “anormaux”, disait Michel Foucault pour désigner ceux qui avaient été rejetés hors de la norme. C'est pictural et très esthétique, sa façon de faire apparaître les corps et les sexes. D'autre part, cette iconographie gay, je ne la trouve ni moquée, ni parodiée, ni glorifiée. Il la montre à un moment où, non seulement l'homosexualité ne se tait plus mais où elle s'affiche fièrement. C'est la Gay-Pride. »

Côté filles : « Il théâtralise les signes habituels des perversions sexuelles : les corsets, les fouets, les poignets-menottes, les *bondages*, sans l'aspect violent, meurtrier des pratiques SM. Il n'y a rien de pornographique chez lui. Mais il renvoie à tout l'arsenal des corps-objets, des corps fétichisés, des matières spécifiques comme le latex ou le vinyle. On pense à Chirico et à Magritte. C'est assez sympathique. On est dans une érotique adoucie mais pas tout à fait dans le champ du désir. »

C'est donc dans cet entre-deux, ce clair-obscur en trompe l'œil du tracé qui érotise sans provoquer le désir, que se situe l'ambivalence profonde de l'homme qui aimait les femmes. Aux essayages, il est tactile, presque sensuel, empoigne chair et étoffe avec le même plaisir. « C'est un homme à femmes, ironise Aïtize. Les mannequins l'adorent, elles veulent toutes se faire photographier avec lui. » Sa cousine Evelyne va plus loin : « Il les préfère aux hommes, ne s'entoure que de filles. Son dernier attaché de presse était un garçon. Il en a changé pour Jelka. »

Au bar du Montalembert, vêtue d'une minirobe trapèze de patineuse céleste, Arielle Dombasle commande un jus de pamplemousse : « Je dirais – un temps, une œillade espiègle – qu'il érotise les femmes mais pas comme des cocottes. Son registre est insolent et guerrier. Il fait surgir une Athéna urbaine toujours prête à dégrafer son armure pour s'allonger sur une plage des Cyclades. » Pour une remise de Césars, la parure qu'il a conçue pour la blonde égérie de Rohmer était composée d'un jupon de velours noir et d'un bustier entièrement rehaussé de pièces de monnaie anciennes et ceinturé d'un corset tribal de mercure et d'étain. Lors de cet examen de passage où un parterre de requins vous dévisage, Arielle estime que sa robe Gaultier « jamais facile à porter » lui a donné le courage d'affronter les regards. Elle l'a protégée, comme une sorte de gilet pare-balles. Dans son dressing parisien, est concentrée la quasi-totalité des basiques JPG : les tee-shirts rayés, les jupes gipsy chic qu'elle porte à Marrakech, les tenues seyantes en voile de stretch ornées de chinoiseries Belle Epoque. Pour ses costumes de bain, Pauline à la plage chine Faubourg-Saint-Honoré, chez Hermès, les bikinis asymétriques dessinés par Jean-Paul.

En petit cupidon zélé, il a même indirectement planifié ses noces. Pronuptia, enseigne ringarde, lui confie en 1988 la lourde charge de doper ses robes de mariée. Jean-Paul demande à Arielle, sirène célibataire, d'incarner l'image de l'épouse new look. La campagne médiatique se double d'un clip où l'actrice chante avec ironie : « Je te salue Marie, toi, l'homme de ma vie. » Les initiés y décèlent une déclaration à son illustre amant, Bernard-Henri Lévy. « Tout cela était à la fois délicieux et délicat. Bernard et moi vivions notre liaison *backstreet* et cette séquence clandestine a duré huit ans. Mais lorsqu'il a fallu que je me rende toute seule, avec mon voile et ma traîne, m'engouffrant dans mon Austin, à la Nouvelle Eve où Jean-Paul donnait une fête déguisée à thème "Noces blanches", je n'en menais pas large. A l'époque, j'avais toujours l'air d'une aventurière. On me croyait seule et je ne l'étais pas. Du coup, je faisais trembler les femmes et j'inquiétais les hommes ! » Elle croise, bien sûr, Francis Menuge : « C'était un être très beau qui a donné à Jean-Paul son adhérence au monde. Un manager amoureux. Tous deux avaient aussi un côté *backstreet*. »

Mais bien avant la phase de complicité, intervient la rencontre. C'est Arielle qui la suscite au début des années quatre-vingt : « J'arrivais du Mexique. J'avais vu le travail qu'il avait entrepris avec Régine Chopinot, entrelaçant la chorégraphie et la mode. Il incarnait pour moi la crête de la vague, de l'insolence, de la modernité. J'ai fait un pas vers lui parce que c'était extrêmement important pour moi. Un jour, je frappe à sa porte, complètement intimidée. Je me disais : « Je viens d'Amérique latine, je n'ai pas *the touch*, je ne vais pas lui plaire du tout. J'avais les pieds en dedans à l'intérieur. » Evidemment, le « *fit* » est immédiat : « Il était adorable, vulnérable, gentil, lumineux, d'une sensibilité à fleur de peau. En général, être l'inventeur d'un style si fort, cela se fait par rejet des autres créateurs. Or, chez lui, il y a un respect immense et sincère du travail des autres, ce qui ne l'empêche pas d'être absolument convaincu que ce qu'il fait est formidable. Avec moi, il a été en empathie immédiate et rieuse. C'est un tendre, un vrai tendre. »

Sans relâche, donc, le magicien tendre ose. Touche de sa baguette magique des jeunes filles que le marketing de mode n'aurait jamais canonisées. Embarque dans sa citrouille-carrosse la petite et menue Corinne Cobson et Rossy de Palma, l'égérie cabossée de Pedro Almodovar. S'inscrivant en faux contre le jeunisme triomphant, il looke des sexagénaires et toujours travaille l'énigmatique concept de beauté, le fouille, le creuse, sans répit. *A contrario*, lorsqu'une authentique princesse de conte de fées vient à lui, il l'accueille dans sa cour des miracles. « La beauté n'est que la promesse du bonheur », note Stendhal. Jean-Paul éprouve la perfection plastique, l'ovale de chérubin de la prometteuse Laetitia.

Elle n'est pas encore « la » Casta, prodige aux courbes de rêve, enfant star, baby top-modèle, qui s'apprête à détrôner toutes les autres déesses en « a » : les Cynthia, les Carla, les Claudia. La petite Corse, encore lycéenne, n'a que quinze ans. C'est son premier casting, elle s'y rend entre deux cours, sagement accompagnée de son papa. Rue Vivienne, une énorme queue bouche le passage. Une centaine d'individus louches formant une faune assez peu fashion ont répondu à l'annonce : « Il y avait des filles au crâne rasé, des irokois, des tatoués, des percings, des skinheads et même des chiens ! J'ai dit à mon père : "On s'est sûrement trompés d'adresse, viens, on s'en va." » Avec son blazer et son cartable sur le dos, elle a l'air d'une héroïne de la comtesse de Ségur égarée dans *Blade Runner*. A ce moment précis, Jean-Paul passe la tête dans l'entrebâillement de la porte, observe la petite fille modèle, sourit, la prend par l'épaule et l'entraîne à l'intérieur : « Viens, on va faire des essais. »

Un costume d'homme XXL plus tard, la débutante s'entend dire : « Toi, tu es vraiment différente », remarque dont il faut goûter l'ironie *a posteriori*. La pensionnaire est engagée. « Sa réaction m'a donné une immense confiance en moi, révèle-t-elle. Ce créateur-vedette aimait ce que je dégageais, ma candeur d'adolescente, mon manque d'expérience. Ce costume masculin dans lequel je nageais, ce n'était pas tout à fait l'idée que je me faisais de ce métier de rêve. J'aurais préféré une parure de princesse. Mais tout me stimulait. »

Laetitia, perplexe, passe au maquillage où officie Stéphane Marais, star du make-up. Seconde surprise : « Je pensais qu'il allait me farder légèrement avec un peu de blush et de rouge à lèvres, me faire ressembler à ma mère. Au lieu de cela, il sculpte, creuse mes joues, charge mes paupières et mes sourcils de couleurs vives, me transforme en femme construite. A la fin, face au miroir, j'ai chuchoté : "Je ne me reconnais pas. Je suis toute peinte, c'est moche." En fait, j'étais magnifique. La beauté, c'était ça mais je n'étais pas encore assez mûre pour m'en rendre compte. »

Ce jour-là, Laetitia accède simultanément à la féminité et au cinéma, carrière qui germe en elle par le biais du mannequinat. « Gaultier, je le voyais comme un metteur en scène, poursuit-elle. On ne répétait presque pas, mais il construisait ses défilés comme des histoires, il donnait des indications de scène, des accessoires, des décors et nous invitait à l'improvisation. Il y avait des filles que cela pétrifiait mais moi, ces digressions m'excitaient beaucoup. Avec lui, j'avais confiance, il me voulait libre, me demandait de me glisser dans la peau d'un personnage. Je me suis dit : "Allons-y." »

Et elle y va. Tout habillée sous une douche installée sur le podium, la néophyte se lance, avec pour seule consigne scénographique : « Pense à Bardot dans *Le Mépris*. » Laetitia a si bien « bardotisé » son passage qu'aujourd'hui, elle incarne BB dans un *biopic* sur Serge Gainsbourg. Le magicien ne coache pas, il use d'une qualité plus subtile, le magnétisme : « A son contact, explique Helena Noguerra, autre *cover-girl* passée à la scène, on ose faire les choses. Son enthousiasme est contagieux. »

Homme au bord de la crise de nerfs

« La mode est une forme de laideur si intolérable qu'il faut en changer tous les six mois. »

Oscar WILDE

Cinquante ans. C'est un chiffre rond. D'ailleurs, Jean-Paul a pris du poids. On le disait jovial, poupon. Il ne faudrait pas qu'il devienne rondouillard. Il a cinq ans pour s'y faire, mais dans la mode l'éternité dure six mois. Autrement dit, les années comptent double et on vieillit en une saison. C'est une décennie décisive, un tsunami intérieur. Dans le jargon sociologique, elle est baptisée CMV, crise du milieu de vie. Jean-Paul habille sa CMV de polos et de chemises noires, de jeans anthracite, de sac à dos d'écolier. Au placard, la marinière de *bad boy*. Il saupoudre de filaments argentés ses tempes platine et à l'oreille droite, s'agite encore la virgule ironique des cinq anneaux d'or. Enfant de la balle assagi, il apprend peu à peu à intérioriser sa fantaisie. Christian Dior, Arlequin bridé par le succès et la respectabilité, dissimulait sa folie profonde sous de sages complets gris. Cet Alfred Hitchcock du drapé, toujours vêtu d'une blouse blanche de chimiste dans ses ateliers, offrait en public l'image d'un banquier rangé. A quarante ans, il en paraissait soixante. Mais il avait brûlé les étapes, mené sa barque à la vitesse d'un jet. En décembre 1946, l'hôtel particulier du 30, avenue Montaigne ouvre ses portes.

Christian n'a que quarante et un ans quand il défraye la chronique avec ses tailleurs new look, exportant sa haute couture du Mexique à Cuba et du Canada au Chili. C'est à ce suave quadra replet que la future reine Elisabeth demande et obtient un défilé top secret, ultra-privé à l'ambassade de France à Londres. L'Amérique trépigne déjà. Deux ans plus tard, en 1948, Dior installe ses boiseries gris Trianon au 730 Fifth Avenue, New York. Une telle rapidité laisse pantois. Gaultier a, lui aussi, façonné son new look, accumulant en quinze ans un nombre de trouvailles hallucinantes, au rythme effrayant de deux cents modèles par collection ! Bilan ? Un inventaire de « premières ». Dès 1981, il détourne le skaï perforé des sièges de voiture pour la série « High-Tech », parodie les tailleurs Chanel en les enrobant de moquette écossaise. Avec lui, la déco annexe la confection, sorte de Fiac-mode à son usage. Deux ans plus tard il interprète « Le dadaïsme » comme une série de robes, pantalons, jupes qui ont l'air de glisser sur l'épaule, sur la taille, le stratagème coulant consistant à coudre deux vêtements séparés en fixant les dessus par les dessous qui s'exhibent en trompe l'œil, Stabilo Boss du désir. Côté formes et matières, il délire avec talent : « Forbidden Gaultier » propose des robes du soir en latex, caoutchouc cheap de sex-shop. Il offre un composite de chaque standard. Sa femme patchwork porte un bustecardigan, les manches d'une veste en tweed et un caleçon en lycra. Enfin, il transforme les classiques, récupère des uniformes de militaire, de marin, les exporte dans le vestiaire féminin et retrouve la grâce pratique des crinolines. Au XIXe siècle, ces cadres métalliques noués de bolduc remplacent avantageusement le rêche jupon de crin sur lequel la coquette enfilait ses robes afin de leur donner du volume. Gaultier recycle l'idée de cadre, de jupe à tirettes et brode à l'infini le motif de la cage, ce cerceau métaphorique qui le mène, l'air de rien, à des compositions haute couture.

Et pourtant, c'est la crise. Personnelle, d'abord. Nul n'y échappant, on voit mal comment un *wonderboy* à qui tout réussit passerait au travers. « Ce sont des années où il se cherche, note Aïtize. Il change de look, devient méditatif, instable, se replie sur lui. Toute sa timidité enfouie refait surface. Il souffre terriblement de l'absence de Francis. » Francis le fantasque, le touche-à-tout, le manager amoureux. Il lui manque cruellement, ce drôle de Thomas Crown, enfilant au débotté un costume de jeune cadre dynamique et démarchant auprès des banques l'argent qui manque à l'essor de la société. «Je ne sais pas comment il se débrouillait mais on lui en prêtait toujours. Il revenait de ses expéditions en haute finance avec le sourire chinois de celui qui a réussi le grand jeu ! » révèle Anna, admirative. Jean-Paul supplie sa cousine Evelyne de venir travailler à ses côtés. Elle a divorcé de son redoutable macho, elle est libre, elle accepte de se dévergonder dans le folklorique univers de la mode.

Lui a besoin d'affection, de tendresse, il régresse comme tous les candidats au désespoir, va répétant qu'il a envie de tout arrêter. Sans Francis, à quoi bon ? « J'avais rêvé de ce métier et il avait été mon support, mon soutien, mon moteur. Cette histoire, on en avait rêvé à deux. Lui seul savait me dire : "Ce veston est complètement nul, tu t'égares." Lui seul me critiquait. Il avait du goût. Bien sûr, il se lançait dans des colères noires mais une minute après, on se roulait de rire. Même en pétard il disait des choses si justes ! Dans le couple, il jouait le rôle de l'intellectuel, raisonnant, analysant les contextes, synthétisant les objectifs, ce que je ne savais pas faire. Moi, j'étais l'impressionniste : on se complétait. Il avait une capacité d'écoute supérieure à la mienne, il était plus simple, plus calme. Et puis tout le passionnait : la politique, l'éducation, les romans, l'électronique. Je ne sais pas me servir d'un ordinateur mais Francis, lui, ne se contentait pas d'en maîtriser l'usage, en prime, il leur ouvrait le ventre, les démontait et les faisait parler ! J'admirais son intelligence ! » Cent fois, il songe à raccrocher les gants, malgré sa madonnisation planétaire, la montée en puissance de sa griffe et le succès triomphal de ses parfums. Au défilé qui suit la disparition de l'être aimé, il inscrit, sur le programme : « Un plus un égale un », addition pathétique, épitaphe éplorée, ultime lettre d'amour… Mais il continue, redouble de créativité. L'œil rotatif zoome ces années-là sur les tatoués-piercingués, aperçoit des « cyberbabas », un revival punk, toujours en avance sur son temps, en Speedy Gonzales des tendances. Il a pris les années quatre-vingt en otage et les années quatre-vingt-dix s'apprêtent à rendre les armes. Alentour, c'est l'hécatombe. Hollywood enterre ses divas à tour de bras : Greta Garbo, Ava Gardner, Rita Hayworth, Marlène

Dietrich, Audrey Hepburn, Gene Kelly. Les nouvelles étoiles s'appellent Sharon Stone dont le *Basic Instinct* annonce le porno chic et Céline Dion, mièvre et tonitruant challenger à brushing de Madonna. Marguerite Duras s'en va, suivie de près par son ami François Mitterrand. Gianni Versace est assassiné dans son palais de Miami. Une page se tourne. A Cannes, virage générationnel, Quentin Tarantino triomphe avec *Pulp Fiction* et Emir Kusturica, avec *Underground*. Jean-Paul, pour survivre, fait ce que font tous les enfants uniques, *a fortiori* quand ils deviennent orphelins et veufs : il se cherche une famille, reconstruit une fiction parentale, un triangle fondateur de substitution.

Côté maternel, Dominique Emschwiller, numéro deux de la société, a l'âge du rôle. Chaque soir, elle borde métaphoriquement le prodige, l'entoure de ses soins, le décharge de toute contrainte administrative. L'irrésistible Tanel, mannequin et complice, confident et pitre, et Donald qui symbolise les débuts à Arcueil occupent la position fraternelle. Pour les grandes sœurs, le casting est rodé : Aïtize, Anna et Frédérique se tiennent en embuscade prêtes à panser ses plaies, à organiser des dîners, à l'assister aux essayages. Une place déterminante, œdipienne, est vacante, celle du père. Cardin figurait le sémillant mentor, mais le surmoi paternel, qui peut s'en charger ? Rue du Faubourg-Saint-Honoré, un ange gardien veille. Jean-Louis Dumas, sexagénaire inventif, patron héréditaire de l'une des plus grandes maisons du luxe parisien, parangon de la tradition, de la sellerie et du chic, fouette son cocher et observe discrètement – qui l'eût cru ? –

l'itinéraire de l'inclassable. Jean-Paul Gaultier va devenir, patience, un fils adoptif d'Hermès.

On observe par ailleurs une petite mutation stylistique, symptôme d'une maturation. A force de détourner, transformer, dénaturer et recycler objets et vêtements, l'ironiste en est venu à inverser son propre second degré. Cette reconnaissance obtenue depuis plus de vingt ans à coups d'épithètes homériques et de unes dithyrambiques, il la désire autrement. Exige du premier degré. Réclame un label, des lettres de noblesse, une étiquette couture cousue main non réversible, en bonne et due forme. Et tant pis pour les rieurs dont il fut, dont il est encore. Souhaiter une médaille, une effigie, une sorte de diplôme, est-ce un signe de vieillissement ? Cas d'école. Il existe un moment pour le « *less is more* » et un autre pour l'hyperbole. La maturité de Jean-Paul consiste à risquer l'ultime obstacle, à se lancer dans cette couture qu'on dit « haute » même si celle qu'il pratique jusque-là n'a rien de bas.

Il avait le pouvoir moins les attributs. Il entend régner avec toute la panoplie, accepter la souveraineté. Entrer dans le club très fermé des grands couturiers, c'est sa manière de sortir de la crise. Les commentateurs sont surpris. Il s'était naturellement construit contre la Grande Dame, en avait fait sa boussole à l'envers, le contraire d'une carte Michelin. A tous ses oukases, ce cancre doué répondait *niet*. Pour un peu on aurait dit qu'il la caricaturait, parodiant sa grandiloquence dans des défilés voyous, taguant sa morgue de graffitis de Gavroche, jetant des pavés sur ses parades gendarmées et ses uniformes de taffetas. Envers elle, il avait développé une sorte de « contre-Œdipe », semblable à ces gamins très rares dont le thérapeute abattu est contraint de reconnaître qu'ils n'ont pas subi le complexe structurant, qu'ils ont fait l'impasse sur ce stade essentiel du développement de l'enfant. Bref, ces ovnis n'ont pas hissé leur mère sur un piédestal, ni rêvé de la séduire. En apparence, du moins. Car un rejet trop marqué permet toujours d'apercevoir en creux le reliquat d'une adoration enfouie. Longtemps refoulé, l'attachement à la reine mère couture resurgit chez le rebelle.

«Je me rends compte, admet-il, qu'il y a encore des gens pour qui cela représente quelque chose. Quoique pour moi aussi puisque je souhaitais ce changement. Je voulais faire une collection de haute couture, non pas pour moi mais pour une autre maison. Je pensais à Dior et il était d'ailleurs question que je le fasse. Mais l'histoire s'est passée autrement. Puis Monsieur Arnault demande à me voir pour Givenchy ! Je refuse en précisant que je préfère travailler pour une maison qui me fait fantasmer. Car cet engagement demande un très grand investissement de temps que j'aurais très bien trouvé pour Dior. Je lui ai même dit : "Si le nom de la maison ne me fait pas rêver, autant le faire moi-même[1] !" »

1. Dans *Dépêche Mode*, janvier 2000.

Nom de pays : Diorville

> « En étant sincère et naturel, les vraies révolutions se font sans qu'on les ait cherchées. »
>
> Christian DIOR

Le mot est lâché deux fois : rêve, fantasme. JP ne fonctionne pas autrement. Ni à la carrière, ni au business-plan, mais à l'onirisme, à la projection imaginaire. On retrouve là la pierre angulaire de son édifice, le poète de Granville, Christian Dior. Tout à la fois maître à broder, Pierrot des bals costumés de la comtesse de Noailles, mondain côté Morand, roi de l'impromptu doublé d'un as des affaires, styliste et dandy. Dior inspire à Cocteau cet épigramme : « Ce génie léger propre à notre temps dont le nom magique comporte celui de *Dieu* et *Or.* » Il s'agit bien d'alchimie. Si Dieu et or se mêlent en effet en Dior, Gaultier, lui, associe le phonème à la quintessence de l'élégance. Sa rhétorique intime proscrit les termes « luxe » et « haute couture ». Il lui substitue naturellement la syllabe précieuse, synonyme d'absolu. Cet « or » de Dior exprimera l'éclat de la chose sans avoir besoin de la nommer.

C'est une métaphore de la rareté, une métonymie de l'excellence. Marlène Dietrich sur l'escalier de la maison, à l'époque du new look : la puissance de l'image forge du désir. Or, Dior se dérobe, ce qui est le propre du fantasme. Petit, Jean-Paul rêve de travailler chez Chanel, Saint Laurent, Dior, le triangle fondateur. Il sera engagé chez Cardin, Esterel, Patou, mais l'avenue Montaigne demeurera interdite d'accès.

Une série de malentendus et d'actes manqués contrarient la concrétisation du rêve. Dans sa version burlesque, le rendez-vous raté est raconté comme la conséquence d'une erreur de jeunesse, d'une faute de goût en quelque sorte. En 1993, Antoine de Caunes et Jean-Paul Gaultier animent « Eurotrash » sur Channel 5, une émission culturelle pop et pointue. Les deux « *frogs* » y font les Frenchies dans le coup. Gaultier, signature oblige, y paraît en kilt. Ce signe extérieur d'audace ne gêne pas les Anglais qui y voient comme un hommage à leurs racines, mais Bernard Arnault juge le look choquant et susceptible d'éloigner une clientèle ladydiphile. Alors que partout on annonce la reprise imminente du logo Dior par l'enfant terrible, les noces sont brisées, définitivement. Jean-Paul suggère que sa tenue est responsable du clash. Comme c'est à John Galliano, autre homme en jupe, que sont finalement confiées les clés de la maison Dior, l'anecdote n'est pas très convaincante. Mais dans ce besoin de justifier par une pirouette la perte de Diorville, il faut mesurer l'ampleur de la déception. En réalité, le créateur a déjà rebondi. A Bernard Arnault qui lui propose Givenchy, il répond que s'il ne peut avoir Dior, il préfère encore monter sa propre maison. Dépit amoureux, provocation, esprit de revanche ? Il y a du Cyrano et du Don Quichotte dans le panache de la réplique. Le créateur démontre aussi qu'il peut changer les règles du jeu, établir un nouveau rapport de force au moment où la domination de l'argent, du trust, du capital – Dior disait pudiquement « le groupe » – menace d'asservir les troupes de la création. Il arrive parfois que David se batte contre Goliath et en triomphe. Pourtant, ce jour-là, Goliath décourage David de lancer sa fronde. Gaultier s'en souvient : « Bernard Arnault m'a dit : "Je vous déconseille de créer votre propre maison de haute couture [1]." Ce n'était pas une menace mais l'avis de quelqu'un qui connaît le coût d'une telle entreprise, ses difficultés, la situation précaire du métier. Je n'ai pas du tout pris cela pour un défi mais j'y ai pensé. J'en ai parlé à Donald Potard et on s'est dit qu'il valait mieux qu'on monte notre propre collection. »

Dont acte. Sans haine et sans violence mais avec détermination. C'est la force tranquille de l'homme en marinière. Une fois de plus le côté « bouts de ficelle », le système D sont mis en œuvre pour conjurer le sort. Depuis les années bohème des grands débuts, Gaultier et ses amis remplacent l'argent par les idées. C'est une méthode qui a fait ses preuves. Potard, le gestionnaire, donne le feu vert au créatif. Un minuscule atelier destiné à une première collection est mis en place. Trois premières, qui ont fait leurs classes chez Dior, Chanel, Ricci et Laroche, sont engagées et six millions de francs, issus de la poche de Jean-Paul, sont investis dans l'affaire, soit une somme modeste à l'aune des budgets

1. Dans *Dépêche Mode*, janvier 2000.

de la mode. Mais le scénario est bouclé. Tout est en place pour ce hold-up à la Lubitsch, ce « Main basse sur la haute » improvisé dans le décor de la rue Vivienne. La pression est énorme, le buzz phénoménal. Envoyer valser LVMH, mécène en chef des artistes couture, capitaine de l'industrie du luxe, c'est jouer au pirate sur une mer déchaînée. Dans les rédactions, on frise la syncope.

Le carton qu'on reçoit est un avis de tempête. JPG, ironie chevillée au corps, y a écrit, de sa main, à la plume Sergent Major : « J'y crois, donc je plonge. » De ce message codé d'écolier émane une grande confiance, une forme d'infantilisme soft, d'affection et de familiarité vis-à-vis de tous ceux qui l'ont fait roi il y a vingt ans déjà. Qui peut résister au registre de la confidence, au vocabulaire de la complicité, si exotique sur un flyer ! C'est un « qui m'aime me suive » à peine voilé. Les journalistes ne vont pas lâcher leur enfant chéri, surtout pas au moment précis où LVMH lance sur ses podiums les nouveaux trublions, les talentueux et gâtés Alexander McQueen et John Galliano. Suzy Menkes, la petite papesse du *Herald Tribune*, féroce graphomane des premiers rangs, ne ménagera pas son soutien. La tribu est cruelle mais maternante. Abandonne-t-on le fils aîné, le prodige remuant, le bon petit diable au moment d'un examen crucial ?

N'empêche, on jase. Comment ne pas voir dans cet encerclement programmé des vieux bastions une stratégie militaire sinon militante ? Du haut de ses barricades, de la place des Victoires, voici ce qu'il déclare : « Mon entrée en haute couture, je l'ai faite en réaction. En double réaction. Contre des collections très vieillottes qui demandaient à être bousculées. Et contre des collections très spectaculaires qui engendraient des comportements un peu comparables à ce qui s'était passé dans les années quatre-vingt : des gens qui se battaient pour assister aux défilés. Je trouvais la situation un peu ridicule, complètement déconnectée par rapport à la réalité du travail [1]. » Rien de moins conventionnel que ce manifeste-là. Tout, du ton énergique au lexique combatif, suggère que l'empêcheur de défiler en rond n'a pas fini de lancer ses pavés dans la mare. L'homme qui n'aime pas faire de vagues est en train de multiplier les faux plis. Les faux pas ? Aussi. L'habit couture, si diapré, si lisse, en ressort tout froissé. Car fustiger le « vieillot », n'est-ce pas secouer le cocotier sacré, le triumvirat Dior-Saint Laurent-Chanel ? Quant au « spectaculaire » auquel il fait allusion, comment ne pas y voir la marque de fabrique du tout nouveau petit prince du fashion, génial et foutraque, cet électron libre prétendant au trône que Gaultier possédait jusque-là dans une excentrique et splendide exclusivité.

Lui aussi vient de la rue. D'origine ibérique, British d'éducation, son métissage, il l'incarne en acte. Bohème, esthète et encensé : il a tout d'un mini-Gaultier, le pedigree et l'audace. Plébéien vénéré par l'aristocratie, l'ouragan Galliano déferle sur la planète. Toréro de la coupe, il fait souffler sur ses shows un souffle de corrida. Les années quatre-vingt-dix sont hypergallianesques, furieuses, désordre, clinquantes, mystiques, païennes, sans repères. Substituant le

1. Dans *Dépêche Mode*, janvier 2000.

scandale au sens. Déclarant la guerre au noir hégémonique dans un habit de lumière. Pour régner, il choque, surprend, secoue, scandalise. La méthode Gaultier, en somme, mais avec un supplément de perversion visuelle que les années quatre-vingt, bonasses au fond sous leur masque cynique, n'avaient pas inscrit au programme. Aux défilés Gaultier, l'humour était assuré. Galliano surenchérit dans le cocasse baroque. En expert du *too much*, il suscite la stupeur, tente l'effroi, pratique l'hyperspectacle. Fige au lieu de divertir. Du maquillage des modèles, sortes de peintures tribales, des tatouages rituels aux opéras-shows où les mannequins se muent en performers trash et emphatiques, il remue des foules fascinées, persuadées d'assister à un renouveau radical, à une esthétique de la surprise qui donne le frisson. Il y a de la transe et de la fureur dans l'air. Pour s'emparer de la mode, qui est, selon la formule de Gilles Lipovetsky, « l'empire de l'éphémère », il faut s'approprier le temps bref d'une collection, lui imprimer une trace, lui conférer une durée, un instant d'éternité, challenge suprême. Juan Carlos Antonio Galliano défie Chronos chaque saison. Des princesses Lucrèce, des clochardes célestes, des ensorceleuses aristocrates, italiennes, indiennes, africaines assiègent les podiums.

Spectacle ? Ballet ? Cérémonie sacrificielle ? Qui peut trancher ? Pour suivre, mieux vaut connaître son *Lagarde et Michard* sur le bout des doigts, être un familier d'Avignon et de Bayreuth. Avec l'artiste, les références littéraires et historiques se télescopent. Incultes s'abstenir. L'avènement implicite de la mode érudite ne se tait plus. Elle conceptualise, intellectualise, sortant ainsi d'un territoire d'origine qui se voulait modeste et intelligible, simplificateur et visuel. Cette origine terrienne et concrète s'est tue, n'est plus. Pour être opérationnels, les stylistes doivent parler deux langues. Celle de la finance (comment vendre une robe ?) et celle, apparemment antagoniste, de la culture (comment rendre une robe désirable ?). Bilingues : Gaultier, Lacroix, Galliano, qui doublent leur approche de couturier d'un bagage d'érudit. Polyglotte : Lagerfeld, locuteur de quatre langues mais aussi collectionneur de tableaux, de meubles, d'autographes, d'éditions de livres rares. La mutation est consommée. C'est une révolution de velours, elle n'est révélée qu'aux initiés. Car la mode est ontologiquement fâchée avec la pensée. Cette chose austère qui sent la sueur et l'effort contredit dans son essence même la frivolité virevoltante, légère et douée qui définit la mode. Penser, réfléchir, élaborer, raisonner : il s'agit de trouver des synonymes moins grossiers. Ne dites pas que les créateurs étudient et dissèquent l'encyclopédie de la mode, on les croit vaguement illettrés et ce flou les arrange, au fond.

L'intellect et l'élégance sont antinomiques et le divorce ne date pas d'hier. Roland Barthes va plus loin. Il sait que le colis est piégé et qu'il ne doit contenir ni trop de savoir ni trop de rigueur pour ne pas exploser. En 1963, dans *Système de la mode*, il explique pourquoi : « La mode ne peut être littéralement sérieuse car ce serait s'opposer au sens commun qui tient facilement l'activité de mode pour oiseuse ; à l'inverse, elle ne peut pas être ironique et mettre son être propre en question. Il est d'ailleurs probable que la juxtaposition de l'excessivement sérieux et de l'excessivement futile, qui fonde la rhétorique de la mode, ne fait que reproduire, au niveau du vêtement, la situation de la femme dans la civilisation occidentale : à la fois sublime et enfantine. » Plus de quarante ans après, l'analyse est intacte. A un détail près : la mode s'autorise l'ironie sans mettre son être propre en question. Et au moins par deux fois, le Gaultier des années soixante-dix, expert en autodérision, ayant ouvert la voie au Galliano des années quatre-vingt-dix, farceur baroque.

Points de suture

> « Tous les maux sont donc dans le monde à cause de Pandora. »
>
> Jean-Pierre VERNANT

Pour le reste, on peut faire confiance à l'inventeur du look « tutu sous Perfecto ». La dialectique barthienne de « l'excessivement sérieux et l'excessivement futile » est parfaitement maîtrisée lorsqu'il se lance dans l'aventure haute couture. Comme tout couturier bicéphale (doté d'un lobe droit financier et d'un lobe gauche créatif), Gaultier choisit de mettre en sourdine son cortex d'histrion au moment des grands choix : « Je me suis dit, résume-t-il, mettons les choses à plat. C'est quoi la clientèle de haute couture en admettant qu'il y en ait une ? C'est qui ? Qu'est-ce qu'elle veut ? Est-ce qu'elle attend une robe entièrement transparente et tape-à-l'œil par exemple ? Ou des choses portables pour des événements précis ? J'ai décidé de faire des vêtements portables. Il n'y a aucune honte à cela. La haute couture n'est pas de l'art mais des vêtements sur mesure pour un certain corps et qui vont dans certaines circonstances. Dessiner des choses absurdes, inadéquates serait un contresens [1]. »

Gaultier le fou fait le sage. Il sait qu'on l'attend au tournant, l'iconoclaste. Quitte à choquer, il propose une collection « bi », filles et garçons mêlés. Les hommes-objets de ces dames, faire-valoir occasionnels, portent des chignons banane et affichent des ongles vernis. Son nouveau-né est baptisé « Ambiance salon de couture », il le montrera aux clientes dans sa boutique de la rue Vivienne, la tradition a du bon. La suite est une autre affaire. Pas de détournements folkloriques, une série de petites robes noires, de fourreaux de crêpe à peine accidentés par ses soins. Abandonnée, l'esbroufe avant-gardiste. Dentelles et broderies sont appliquées sur des matières détournées car ce visionnaire découvre que les tissus de luxe, inemployés dans le prêt-à-porter, ont un siècle de retard sur les fibres modernes. Voilà comment il cuisine son grand gloubiboulga, touillant la soie et le polyamide dans sa marmite de druide, ni vu ni connu, en Panoramix du textile. Il revisite les processus de création, les accélère, les secoue. Face aux mannequins, il teste d'autres techniques de façonnage, tissu sur le corps, et réalise du sur-mesure en deux essayages seulement et pour deux fois moins cher. La robe ou le tailleur coûteront environ 40 000 francs à la cliente.

Cette grande première a lieu en janvier 1997 à la galerie Yvon-Lambert transformée en salon de couture *fifties*, rideaux rouges et trompe l'œil. Il y a du psychodrame dans l'air. Avis de tempête : la même semaine, Yves Saint Laurent raccroche les gants, le match

1. Dans *Dépêche Mode*, janvier 2000.

« Rosbifs-Frenchies », McQueen-Galliano contre Gaultier-Mugler est relaté comme un combat de boxe par Laurence Benaïm dans *Le Monde*. Décharge d'uppercuts et de coups bas : la maison Givenchy aurait payé cinq fois le tarif (125 000 francs pour un défilé !) ses tops afin de ne pas les laisser filer chez Gaultier, rival redouté, le jour J. Chez Versace, dépassés par les événements, les designers installent une patinoire sur la piscine du Ritz. Le microcosme est en alerte maximale, il vit son krach de 29. Pour cette folle séquence, les chroniqueurs affûtent leur Bic et carburent au Maxiton. Comme l'annonce, lapidaire, la marquise de Merteuil à Valmont, à la lettre 153 : « Eh bien ! La guerre. »

Pour son sacre du printemps, ses supporters se sont déplacés, sur le banc de touche : Pierre Cardin, parrain de mode, Pierre Bergé, Sonia Rykiel et Yohji Yamamoto. Le gotha complet du cinéma français annexe les chaises Régence. Une dramaturgie rétro, falbalas, old school se met soudain en place. Au lieu du sampler actionné par un DJ branché, c'est une aboyeuse en livrée qui articule, dans un silence spectral, le numéro des mannequins avant de décrire leurs toilettes *in extenso* : « Numéro 32, paletot en faille noire intérieur popeline blanche, fermeture ninja. » Un frisson parcourt la salle.

Le punk styliste retourne aux origines préhistoriques. A la *high society* et aux gants beurre frais. Janie Samet, qui a souvent éreinté l'iconoclaste déjanté dans les colonnes du *Figaro*, est aux anges, cette fois : « Reprenant ses meilleurs thèmes, il les peaufine, les raffine, les perfectionne. On retrouve ses fameux tailleurs aux longues jaquettes maîtrisées, transformés par un drapé en bénitier, la jeunesse des smokings stretch, des petites robes noires enroulées comme un tourbillon en toute irrévérence, des combinaisons de rats d'hôtel qu'on enfile comme un collant et des bustiers-gants qui vous habillent de cuir jusqu'au bout des doigts. » *Le Monde* est nostalgique : « Les années ont passé… Quelque chose d'essentiel se dégage, une note grave et tendre, comme si, entre ces rayures de strass cristal, il redessinait un peu de son paradis perdu. » *Libération* s'incline : « En soixante et onze passages, Jean-Paul Gaultier a fait la preuve qu'il avait enfin cessé d'être un enfant terrible de la mode pour accéder au statut autrement enviable de splendide quadragénaire. »

Le verdict tombe donc par voie de presse, dithyrambique, unanime. Gérard Lefort approuve, *Le Figaro* capitule, le *Herald Tribune* adhère, c'est un *tribute* au garnement. Lui, exténué par ce challenge, ne savoure même pas son succès : « Je lui lisais les critiques, raconte Anna, mais il était tellement dans sa bulle, fatigué, qu'il semblait dédoublé, déjà ailleurs. » Une certaine mélancolie s'installe. Elle n'inhibe pas le créateur, au contraire, mais elle colle au bon vivant des semelles de plomb. Pas le temps de souffler, la machine de guerre Gaultier repart au combat. Insensible aux éloges, il n'a qu'un baromètre : sa propre exigence. Or, il ne s'agit plus de plaire, il faut régner. Trouver des commandes, séduire les clientes, les recevoir, les convaincre, les habiller, vendre !

Panique à bord ! Le dispositif est plus qu'expérimental. Donald Potard, grand seigneur, propose que le champagne coule à flots, qu'on abandonne la rue Vivienne pour un siège plus fastueux. Mais les dépenses sont impensables. Il faut se serrer la ceinture. Catherine Lardeur, la journaliste de *Marie Claire* qui a, la première, compris, apprécié et promu le travail de Jean-Paul, vient de rejoindre la petite troupe. « J'étais à la retraite, il le savait. Il m'a appelée pour que je travaille avec lui sur la couture. Je venais de la presse, je n'avais jamais fait cela de ma vie. Mais j'ai dit oui. Ce sont des gestes d'amitié qu'on n'oublie pas, des petits cadeaux signés Jean-Paul. » Catherine, économe et réaliste, conteste le Dom Pérignon de Donald – « Du champagne, à dix heures du matin, n'importe quoi ! » –, lui substitue du thé et des gâteaux et se lance, assez terrorisée, dans l'accueil de la cliente : « Au début, raconte-t-elle drôlement, elles ne se bousculaient pas. J'étais là, rue Vivienne, et j'improvisais. Au feeling. Je faisais tout, toute seule : je répondais au téléphone, je notais les rendez-vous. Imaginez : je ne savais même pas ce qu'était la TVA ! »

Se présente alors une adorable jeune Bretonne. Elle explique qu'elle va se marier, la réception aura lieu au bord de l'océan et elle craque pour la fameuse robe marine en dentelle et stretch. Evidemment, cette splendeur-là, cette parure Perrault couleur de temps, elle et son mari n'ont pas les moyens de se l'offrir. Catherine fond : le bleu des yeux de la mariée, le bleu du fourreau, le bleu de la mer et cette candeur… « J'ai pris sur moi de lui faire un prix. On s'est arrangées toutes les deux. Elle était aux anges. » Peu à peu, le bouche à oreille fonctionne. Quand les Saoudiennes débarquent, la Frenchy s'adapte à leur métabolisme paranoïaque, accepte les grandes manches qui dissimulent l'épiderme. Catherine, pédagogue de la méthode Gaultier, explique aux néophytes le secret des choses pendant les essayages : « J'ai fait ce que j'avais toujours fait dans mes articles : j'ai décrypté. Son veston qui était une première en couture, je le racontais par le détail aux femmes qui se glissaient dedans. » Parallèlement, la gouvernante pragmatique aide le capitaine à maintenir le cap : « Ne cédez pas, lui disais-je. Vous vouliez quatre boutons sur cette redingote ? Laissez les quatre boutons et même les galons. Continuez à faire ce que vous aimez, à approfondir puisqu'en couture, on peut se permettre de passer un mois sur un manteau. On prend l'air, on fausse compagnie au calendrier. »

A Catherine Deneuve, les robes, bien sûr, sont prêtées. Mais la bourgeoisie et l'aristocratie achètent cash : Madame de Ribes, Madame Minc, Madame Ricard assiègent la rue Vivienne. La grande et mince Claude Pompidou aussi. En jaune jonquille, en rouge Mercurochrome, cette femme graphique, porte, comme un motif de Calder, les excentricités signées Gaultier.

L'Avenir du Prolétariat

> « Trop d'esprit humilie ceux qui n'en ont pas. »
>
> Madame DE MAINTENON

S'il réussit son pari – conquérir une clientèle haute couture –, tout Paris sera à ses pieds. Cette cour-là mérite bien un Versailles. La rue Vivienne, c'était Marly, une annexe du château. Le roi Gaultier décide donc de déménager pour la troisième fois. Entre-temps, bonne nouvelle, Jean-Louis Dumas a reçu Donald et un extraordinaire contrat est conclu : Hermès entre à 35 % dans la participation de la maison Jean-Paul Gaultier, c'est un soutien inespéré ! La visite de la capitale continue. Toujours hostile à la rive gauche, fief de l'intelligentsia, il reste indéfectiblement attaché aux faubourgs, à ce Paris-Paname de la rive droite encanaillée qui s'oppose aux beaux quartiers. Sont catégoriquement écartés : les Champs-Elysées, la plaine Monceau, le XVIe arrondissement connoté high society. Sa rive droite est désargentée, débrouillarde et gouailleuse. Ses rues portent des noms de saints (Saint-Denis,

Saint-Martin, Saint-Antoine) ou d'artistes (Gluck, Halévy, Diaghilev, Feydeau). La Madeleine et la Trinité mènent à l'Opéra, le sacré y tutoie le profane dans une épiphanie métissée. C'est l'épicentre d'une capitale bohème et cosmopolite, inventive et désordre, abritant des marchandes des quatre saisons et des hommes en frac, la pègre du boulevard des Italiens et les petits commerçants du faubourg Poissonnière. Un lieu de tous les possibles. La géographie urbaine de Gaultier est du côté de Zola, pas du côté de Proust. Il va faire le bonheur des dames, pas celui des jeunes filles en fleurs. Par filiation, le gamin d'Arcueil se sent près du peuple, de son macadam festif, coloré, de sa cacophonie et de son lexique.

Son ADN a fixé des cocottes flamboyantes, de sublimes marlous, coqs et poules de boulevard actifs et caquetants. Ses enfants du paradis imaginaires déambulent dans un Paris ouvert, mixte et interlope, une capitale libertaire. Elle offre la toile de fond d'une fresque narrative où Gaultier projette depuis trente ans une multitude de petits personnages emblématiques de la vie parigote : des barmans, des fleuristes, des shampouineuses, des vendeurs, des livreurs, des coursiers hissés par la force de son talent en archétypes de l'élégance populaire. Mais pour créer son microcosme, l'homme a besoin d'asphalte, de goudron, de bouches de métro, du son des bonimenteurs et du bruit des marchés. Sa mémoire olfactive a imprimé d'âcres odeurs de gitane mêlées aux fragrances de violette et de barbe à papa qu'on offre aux enfants en sortant du Grand Rex.

Voilà pourquoi il jette son dévolu sur l'Avenir du Prolétariat. Ce n'est pas un gag mais le nom du nouveau siège de la maison JPG. Dans sa définition même, ce monument est un oxymore. Bâti en 1912, ses cinq mille mètres carrés dessinent les contours d'un « palais mutualiste », formule emphatique, amusante et très Belle Epoque. En achetant ce lieu où le peuple s'autorise des lettres de noblesse, Jean-Paul se meut en empereur d'une cour des miracles. Quasimodo et Frelot dans un même mouvement. On est loin du petit hôtel particulier du 30, avenue Montaigne, convoité par Christian Dior, mais la certitude farouche, irrationnelle d'avoir trouvé un point d'ancrage est la même dans les deux cas. « Là et nulle part ailleurs », avait annoncé Dior, imposant son caprice aux financiers qui avaient dû persuader Georges Vigouroux de leur céder le bail et de ne pas y loger, au lieu de la future star du new look, les couturiers « Pierre et Gaston ». Si Dior adore « les proportions réduites, l'élégance sobre, sans pedigree accablant » de son nouveau nid, Jean-Paul flashe sur le gigantisme et le passé affiché de son Rosebud. Il en rêve depuis toujours. Il attendrait le temps qu'il faudrait mais ce temple progressiste serait le sien. Au fond, sur le papier, seule l'adresse convient : 335, rue Saint-Martin. Elle obéit au manifeste fondateur du styliste, à sa géographie intime, à sa sociologie urbaine. En face : le conservatoire des Arts et Métiers. A deux pas, le métro. A l'horizon : la porte Saint-Martin, réminiscence architecturale de son aqueduc d'Arcueil. Et partout, des échoppes, des marchands ambulants, des gamins de Paris. Pour le reste, ces pharaoniques bâtiments laissent songeur.

Citizen G se concentre sur l'essentiel, le parfum de légende de ce siège. Car l'Avenir du Prolétariat possède une histoire. Jusqu'à la fin du XIXᵉ siècle, le droit d'association étant interdit aux « classes laborieuses », on ne trouvait pas de forme de solidarité ouvrière. Au début du XXe siècle, des sociétés mutuelles de retraite redistribuent à leurs adhérents les intérêts de leur capital constitué de valeurs mobilières. C'est ainsi que Ferdinand Boire fonde en 1893 l'Avenir du Prolétariat, société civile de retraite pour les deux sexes. L'inauguration de cette folie prolétarienne attire le Tout-Paris le 21 décembre 1912. Cette pompeuse architecture Beaux-Arts, signée Bernard-Gabriel Belesta, ne profitera aux déshérités que jusqu'en 1930. Le régime obligatoire de l'assurance sociale vient de naître, oblitérant cette belle utopie sociale.

Dès lors, le paquebot Saint-Martin va changer de capitaine chaque décennie : successivement atelier de nœuds et de bolduc, puis cinéma de quartier, cinéma porno, salle de boxe et boîte de nuit (Le Charivari) éphémère, il passe de main en main sans trouver sa fonction. C'est Gaultier qui offre une rédemption surprise à ce lieu flamboyant. En louant le palais à Lionel Jospin qui y installe son QG de campagne en 2002, le styliste retisse l'air de rien les fils politiques qui reliaient ce bâtiment chargé d'histoire à la symbolique de la gauche française. Quelque chose dans l'air du temps semble d'ailleurs plaider en faveur d'un rapprochement gauche-couture, comme une résurgence des années Lang en col Mugler où les créateurs côtoyaient au ministère de la Culture artistes et hommes de lettres dans un stimulant désordre qualifié parfois de « défaite de la pensée ». Non loin de là, du côté du XIXe arrondissement, le parti communiste n'a-t-il pas pris langue avec le fashion pouvoir ? La sélecte marque

Prada a loué le siège du PC le temps d'une fête inoubliable le 12 octobre 2000. Pour un one-shot mais quel shot ! Un scud, une rave chic hissant la gauche au rang d'objet tendance à l'aube du deuxième millénaire. Imaginez... Robert Hue et Catherine Deneuve unis dans le même moove, au coude à coude avec Liz Hurley et Jean-Charles de Castelbajac, aux ordres de sept DJ. Le pavillon du luxe italien flotte sur la vieille marmite du Colonel-Fabien. La postmodernité consumériste, élitiste, inaccessible, se place pour quelques heures sous l'ombre tutélaire de Maurice Thorez, le capitalisme décomplexé flirte avec le marxisme au son de la techno. La mode serait-elle politique, fille des classes laborieuses ?

C'est en tout cas dans ce palais mutualiste à l'abandon, dans cette ruche dévastée que Gaultier va produire son miel, loger ses abeilles industrieuses, ses techniciens du rêve, ses petites mains et ses grandes idées. Comme il existe un Mitterrand des grands travaux, il y aura un Gaultier de l'Avenir du Prolétariat, un septennat architectural de la haute couture. Un concours est d'ailleurs lancé pour la réfection de la rue Saint-Martin, réduite alors à une structure en béton désolée, saupoudrée de plâtre rance.

Le projet scénographique des architectes Alain Moatti et Henri Rivière est retenu. Le tandem a su préserver la prouesse technique initiale du bâtiment : l'imposante voûte de huit centimètres d'épaisseur de la grande salle. Le résultat est un somptueux habit d'Arlequin. La dimension sociale, « mutuelle », originelle s'efface pour laisser place à un maelström viscontien. La rue Saint-Martin rénovée tient à la fois du palais et du palace, du théâtre et de l'opéra, de l'esthétique rococo et du style Bauhaus. Elle est à l'image de Gaultier et du XXIe siècle : simultanément folle et sage, sidérante de démesure et rigoureuse dans sa structure. C'est une maison de mode au sens où Barthes définit la mode, comme une discipline « excessivement sérieuse et excessivement futile ». Elle oscille sans cesse entre une solennité qu'annonce le monumental escalier Grand Siècle visible au premier coup d'œil et un tropisme pratique, ludique et bon enfant. Pour ne pas enterrer le passé du Palais, on a gardé quelques sièges de velours carmin, clin d'œil nostalgique à l'époque cinéma de quartier. Les verrières haussmanniennes et les matériaux néo-quatre-vingt – mosaïques carrelées blanches façon métro parisien, sol esprit domino en asphalte coulé noir, linoléum, copolymère, aluminium, métal et verre – cohabitent sans conflit. A l'étage noble sont installés les salons haute couture, les cabines d'essayage avec leurs miroirs en triptyque.

Au premier étage se dérouleront les défilés. La pièce sera jouée *at home*, dans les murs. Le pourfendeur de la mode old school réintroduit la tradition. Surtout, il met un frein aux excursions insolites, où les merveilleuses, un plan dans leur main gantée, cherchent un entrepôt, une boucherie désaffectée, un gymnase municipal ou une gare en ruine dans le 9-3, elles qui n'ont jamais franchi les limites du périphérique (peut-être faut-il un visa ?). En se démarquant de la surenchère fun, en liquidant la tendance au transfert géographique des podiums qu'il a lui-même initiée, Gaultier élève implicitement le niveau de la compétition. Fini le folklore. On entre en classe, on se concentre. Le spectacle doit privilégier le vêtement pur et dur.

Unité de temps, de lieu, d'espace : on obéit ici aux règles du théâtre classique. Toute l'équipe : les commerciaux et les créatifs, la presse et les assistants vivent le rêve Gaultier à l'unisson. Au sommet du palais, couronnant deux étages d'ateliers où sont réunies les petites mains, les combles servent de studio de création. Quant au maître des lieux, sur les cinq mille mètres carrés de son Rosebud, il ne s'en est réservé que trente. Une minuscule cabine spartiate à parois coulissantes donnant sur les toits de Paris lui tient lieu de bureau. Une tanière de chat de gouttière… A ciel ouvert sur le troisième millénaire.

Certains l'aiment show

> « Si l'on ne voyait que les gens que l'on estime, on ne verrait jamais personne. »
>
> Crébillon FILS

Avril 2002 approche. Jean-Paul va avoir cinquante ans pour de bon. Les anniversaires ? Il déteste. A ces rituels codifiés, il préfère le « joyeux non-anniversaire », souhaitable à tout moment de l'année, inventé par Lewis Carroll pour distraire les enfants précoces. Il oublie le sien et celui des autres. Les noubas programmées l'assomment. Il les juge artificielles et ratées. Fashion star, il est devenu people à l'âge tendre, a grandi sous les flashes, a été propulsé porte-drapeau et héros des jeunes créateurs français. Photographié aux côtés de Raquel Welch, Madonna, Johnny Hallyday, Bruce Willis, mitraillé en position festive au Festival de Cannes, à Avignon, à Las Vegas ou sur Rodeo Drive, il se vit plutôt comme Zelig, l'homme-caméléon de Woody Allen, scotché par hasard aux célébrités de son temps.

Timide viscéral, il a pourtant dû apprendre à mondaniser, passe-temps douloureux. Il bat sa coulpe, affiche la posture euphorique *ad hoc*. Cela fait partie du processus de création. A la fin d'un défilé, l'estomac dans les genoux, le grand blond se tient debout sans fléchir une heure durant. *Small talk* avec la vicomtesse de Ribes, papotage en roue libre avec la *gentry*, gazouillis jet-set, *private joke* et name-dropping obligé – le chouchou est parfait : « Dans ces moments-là, je prends beaucoup sur moi, avoue-t-il. Je masque un gros trac intérieur. » Le gotha à particule et le gratin du show-biz l'invitent à leurs soirées. Il s'y rend la gorge nouée et se montre, pour le challenge, histoire de se prouver qu'il peut triompher de sa boule au plexus, démon intime : « Il préfère observer qu'être observé, dit Christophe Beaufays, l'un de ses assistants. Il sait qu'on attend de lui qu'il amuse la galerie, qu'il rivalise de bons mots et cela le paralyse. Avec le temps, il est devenu un peu misanthrope. » Lui qu'on fantasme toujours une coupe de champagne à la main, entouré de Chippendales, saupoudré de paillettes, adepte du night-clubbing jusqu'à l'aube, avoue, scoop ultime, un petit côté tisane-télé-bonnet-de-nuit de vieux garçon : « Les grandes soirées – et je sais que les miennes sont réputées pour être réussies – représentent un travail énorme, pas du plaisir. »

Il s'est débrouillé toute sa vie pour s'amuser en créant. C'est astucieux. Le bureau de style en ébullition nocturne, une compilation disco en fond sonore et tout un petit peuple d'élégantes surgissant de ses heures de cogitation collective : le fun selon Gaultier. *A contrario*, concocter des flyers ébouriffants, convoquer des invités sélects, décorer une salle, recruter un DJ, requièrent une énergie et un stress que l'original assimile à une corvée. En 1987, inaugurant son Vivienne-Pompéi, sa mosaïque-story, son péplum de mode, l'idée lui vient d'installer un authentique carrousel. Les journalistes régressent, à califourchon sur leurs chevaux de bois, une barbe à papa à la main. Jean-Paul, lui, est aux abois : « Une horreur, je serrais des mains, je saluais, je suais ; tout le monde s'amusait sauf moi. » L'anomalie se reproduit lorsqu'il célèbre ses trente ans de mode. Acteurs, chanteurs, top-modèles se ruent à l'Olympia relooké JPG. Boy George assure aux platines. Le bon vieux temps du Palace de Fabrice Emaer et d'Edwige la punk est ressuscité. Mais le maître des lieux, tétanisé, demeure sur le banc de touche, *outsider* nostalgique. Les meilleurs moments appartiendraient-ils au passé ? Il se souvient de ses vingt ans, à Arcueil : un bon gigot et des bougies. Pour ses trente ans, l'imprévisible Francis ménage une surprise à son amoureux : le gâteau figure un blue-jean grandeur nature en crème pâtissière myosotis : « Ce n'était pas très bon mais c'était très amusant », commente ce critique culinaire manqué ! Ses quarante ans ? « Pfft, j'ai oublié. De toute façon, Francis n'était plus là… »

Aujourd'hui, ses parents ont disparu, son boy-friend aussi. Son demi-siècle manque de saveur et d'amour. Obsédé par ses collections, œuvrant au bureau douze heures par jour et considérant ses vacances comme la parenthèse idéale pour travailler vraiment, il n'a qu'une poignée de copains, ceux qu'il a connus dans les années soixante-dix et qu'il s'est arrangé pour recruter dans sa société afin de vivre en tribu, manière subtile de se protéger du milieu vénéneux de la mode et de perpétuer l'adolescence bénie. Pour ses cinquante ans, il n'a envie de rien, et pour cause : « Ce que je préfère, moi, c'est trois amis et une bonne table. Voilà ma conception du bonheur, des moments intimes et conviviaux. Mais le journaliste Gérard Lefort que j'apprécie énormément fêtait lui aussi son anniversaire et m'a proposé une soirée commune. Salle Wagram, étaient invités Isabelle Adjani, Juliette Binoche, Valérie Lemercier, Josiane Balasko. Le monde du cinéma presque au complet. Bernard-Henri Lévy et Arielle Dombasle étaient là aussi ; ce sont des personnes que j'admire mais qui m'intimident, je ne suis pas des leurs. » Et pourtant, il faut y aller, se montrer. Pour se donner du courage, Jean-Paul s'offre une cuirasse et commente, très Billy Wilder : « Je ne savais pas quoi me mettre. Alors, je me suis dit, pourquoi pas une petite robe ? » Sa toilette sera celle d'une ménagère de cinquante ans qui s'encanaille. Il chine aux Puces un modèle de cocktail *fifties* signé Mademoiselle Carven. L'organdi vert printemps produit son effet vintage. Juché sur ses talons, ce Jack Lemmon d'un soir souffre le martyre : la lourde perruque platine nuit au maquillage appuyé. Le démiurge découvre enfin de l'intérieur la torture ordinaire du top au moment du défilé. « C'était la première fois que je me déclarais publiquement, dit-il, en ingénu qui feint d'ignorer que son coming-out est connu depuis plus de vingt ans. Je savais que j'allais provoquer le rire et cet automatisme dissimulait ma timidité. » Certains l'aiment show.

Soudain, Catherine Ringer, sa première muse, chante « Marcia », tube légendaire, pour lui. Emotion extrême. Jean-Paul pénètre maladroitement salle Wagram. Immédiatement, l'apparition surprise de cette

Bacall bancale suscite une forme de stupeur. Chacun y va rétrospectivement de son interprétation. Farida Khelfa : « Il faut savoir que, déguisé en femme, Jean-Paul n'est pas exactement une bombe atomique. » Euphémisme. Frédérique Lorca, elle, est saisie d'un fou rire à sa vue : « C'était complètement dément. Je sais que Jean-Paul est gay mais je connais aussi la complexité de sa personnalité. Du coup, il avait l'air d'un hétéro travesti, un peu gêné, pataud, balourd. » Le voici donc jouant sur son identité sexuelle mais offrant aussi, par contraste, le spectacle d'un grand gaillard bien balancé et terriblement viril. Arielle Dombasle a adoré la farce : « J'ai eu le sentiment, dit-elle, qu'il était habillé comme sa maman avait dû l'être dans ce genre d'occasions. Taffetas, souliers de satin métallisé : tout cela faisait un look de mémère extraordinaire de poésie. Le style de femme mûre sur laquelle on se jette dans la rue en lui disant : "Vous, vous êtes la mère idéale !" Alors, en le voyant s'amuser, danser comme un fou toute la soirée, je me suis dit : "Au-delà de cet instant travesti, il nous offre une facette inédite de sa personnalité, celle d'une dame respectable et humainement chic." »

Deux mois plus tard, la dame chic reçoit la Légion d'honneur en présence de Pierre Cardin. Entre-temps, rue du Faubourg-Saint-Honoré, chez Hermès, une prestigieuse place se libère. Martin Margiela qui sculptait depuis 1997 de splendides et austères robes de bure en cachemire s'en va pour se consacrer exclusivement à sa propre griffe. Dans la saga des superhéros de la création, l'énigmatique Margiela figure l'homme invisible. On ne le photographie pas, il ne donne pas d'interview, ses vêtements expérimentaux sont ornés de matricules. Pour ce laborantin de la coupe, grand brun vêtu, pendant les essayages, d'une blouse à l'ancienne alors que Jean-Paul opère en jeans et polo, la mode est une ascèse : « A la fin des années soixante-dix, raconte le discret, Gaultier était l'un des rares Européens qui suscitait mon admiration. A la sortie de l'Académie royale des Beaux-Arts d'Anvers, je suis parti environ deux ans à Milan, sans aucun succès dans ma recherche de travail... Et puis, lors d'un concours pour lequel Jean-Paul Gaultier était membre du jury, j'ai reçu le deuxième prix. Pas de rencontre avec lui ce jour-là, j'étais trop timide. Par la suite, j'ai commencé à appeler avec insistance mais la maison Gaultier ne recherchait pas d'assistant. Jusqu'au jour où Jean-Paul a fini par me recevoir pour regarder mon dossier. J'étais pétrifié, parvenant à peine à parler. Un mois plus tard, son associé Francis Menuge me propose de m'occuper de deux collections sous licence. L'offre m'excitait peu mais travailler au côté de Jean-Paul me stimulait plus que tout. Il me demandait de m'inspirer de ses collections précédentes auxquelles je me permettais d'ajouter de petites idées personnelles. Cela ne lui plaisait pas toujours. Mais un jour, il a prononcé cette phrase, un déclic pour moi : « Martin, tes idées sont très bonnes, mais ce n'est pas du Gaultier, c'est du Margiela ! » Jean-Paul, lui aussi, ne tarit pas d'éloges : « Martin était formidable. Ses initiatives étaient justes, je sentais qu'il irait loin. C'est rarissime, un bon assistant. Quand, bien plus tard, Nicolas Ghesquière est venu travailler à la couture, il était surtout... assistant photocopie et café ! Le jour où il m'a fait ses adieux, je lui ai dit, tout de go : "Hélas, je ne peux pas vous dire que je vous regretterai parce que je ne sais pas exactement ce que vous avez fait ici." Par la suite, on a vu son talent chez Balenciaga, mais, chez moi, c'était indiscernable ! »

Martin est donc, exquise surprise, débauché par Hermès. Jean-Paul applaudit des deux mains : « Je trouvais que l'association Margiela-Hermès regorgeait de sens et de style ! » Mais Margiela, en bon épigone, s'en tient à la prophétie de Gaultier et se recentre sur lui-même. Il quitte le Faubourg-Saint-Honoré en 2003. Jean-Louis Dumas qui participe, depuis 1999, à 35 % au capital de la maison Gaultier, à titre de mécène, demande alors à Jean-Paul qui pourrait, selon lui, succéder à Martin : « J'ai beaucoup réfléchi, je songeais à Ann Demeulester, et puis je me suis dit que je pourrais très bien m'occuper de cela personnellement. » Quand il apprend la bonne nouvelle, l'atypique patron-sellier est en liesse !

Casaque Hermès

> « Son cou et ses épaules sortaient d'un flot neigeux de mousseline sur lequel venait battre un éventail en plumes de cygne. »
>
> Marcel PROUST

A l'angle du sanctuaire de la rue du Faubourg-Saint-Honoré et de la rue Boissy-d'Anglas, sont installés les vastes bureaux de l'administration. Sous un élégant porche XIXe : un minuscule cheval en fer forgé d'époque, une selle grandeur nature et le blason Hermès, ce gracieux duc attelé tiré par deux chevaux. Panache et tradition. Pour rencontrer Pierre-Alexis Dumas, fils de Jean-Louis et directeur artistique de la vénérable institution, il faut montrer patte blanche, signer un formulaire, attendre la charmante attachée de presse « hermésisée » (néologisme maison) qui vient chercher à pas feutrés le néophyte pour le guider dans la forteresse. A droite, l'atelier des « commandes spéciales », lieu classé secret défense, où d'apprentis orfèvres brodent religieusement des étriers sur de mystérieuses maroquineries, à édition unique. Surgit Pierre-Alexis, jeune héritier de l'écurie, au pas sec, au verbe concis. Cet être rationnel a été à l'origine de la spectaculaire colorisation des accessoires : Kelly mandarine, gibecières en autruche « pink », crocodiles turquoise, chahutant l'antique ordre monochrome. « Je raffole des couleurs, ce sont de vrais médicaments », dit-il sans rire, vêtu d'un strict uniforme automnal – chandail et pantalon marron chêne. Racontée par lui, l'intronisation du tout-fou dans la maison sage évoque une *love story* : « Mon père adorait Jean-Paul. Ils s'amusaient ensemble continuellement, révèle-t-il. Je crois qu'il le suivait depuis ses débuts, en 1976. Il a été ravi quand il a su qu'il acceptait de s'occuper du prêt-à-porter féminin. Des deux, le plus rigoriste est Gaultier, le plus fantaisiste, Jean-Louis. Je sais, c'est un paradoxe. Et puis, ils ont de vrais points communs, fondés sur des valeurs partagées : la réserve, la courtoisie, l'éducation. Ils s'entendaient comme larrons en foire malgré la différence d'âge parce que leur goût pour les gens drôles et leur approche joyeuse du travail les rapprochent. »

Tous les jeudis, Jean-Paul fausse donc compagnie à Gaultier et se rend rue Boissy-d'Anglas, homme-caméléon à l'école buissonnière. A sa disposition : des peaux uniques, un savoir-faire ancestral et une ligne de prêt-à-porter haut de gamme qui s'apparente à de la haute couture. Une vingtaine de personnes, modélistes, création, atelier cuir, travaillent pour lui. Tous observent son degré d'exigence assez singulier, peinent à comprendre, parfois, ce qu'il veut mais savourent l'expérience. Pierre-Alexis, le premier : « Je le vois faire et il me stupéfie. Il arrive avec un motif en tête, porté par une vision qu'il travaille et puis, patiemment, se dégage une forme. L'idée première et le travail des modélistes avancent, et le résultat obtenu le conduit vers autre chose. Il a le cheminement classique d'un artiste. » Et les caprices qui vont avec : toujours dans l'urgence, stimulé par la *deadline*, ses pharaoniques consignes scénographiques sont dictées au dernier moment : un jour, il veut qu'on importe de vrais cactus tropicaux, en toile de fond « stampa » pour ses gauchos frangés en Stetson, d'autres fois, il exige un coûteux tapis persan de cent mètres de long que piétineront ses belles Orientales. Récemment, il lui fallait quatre authentiques hélices d'avion des années trente – il aurait préféré une vraie piste d'atterrissage – pour matérialiser la séquence finale de son remake de *Casablanca*. Rue du Faubourg-Saint-Honoré, on s'adapte, on produit, on fournit. Cet Howard Hughes de la mode possède le *final cut* et un budget de mogul.

A ce stade, une question fondamentale se pose : comment la cliente Hermès envisonnée a-t-elle pris l'arrivée du rock-styliste aux idées de gauche ? Comme elle prend tout, les ceinturons à boucle grand « H », les cendriers décorés de bécasses et les cravates à imprimé équestre, du rez-de chaussée au troisième : avec morgue et distinction. Face aux carrés, Jean-Paul s'est tenu à carreau. Tout au plus a-t-il revisité quelques codes de l'iconographie maison, proposant des sacs Kelly géants, calquant le motif « calèche » sur des dentelles suggestives, recyclant le bolduc calligraphié Hermès en collier de chien et drapant ses baigneuses dans le fameux foulard de soie.

La suite est une succession de tableaux épurés : des *Out of Africa* de lin blanc, des saris durassiens indigo et safran, des bikers adorables en bottes cavalières Hermès et Perfecto Jean-Paul, des aviatrices en trench de cuir caramel, prune ou noir mat. Du scalpel, du wabi, de la haute couture qui ne dit pas son nom. A quel moment devient-on un classique ? Dans le cas de Gaultier, le doute n'est plus permis. Et d'ailleurs, il entre aux archives. En 2003, le Victoria and Albert Museum présente une rétrospective de ses défilés, à Londres. En 2004, la fondation Cartier lui demande quelque chose. Résultat : une expo « Pain Couture », folle épopée boulangère où les robes du soir sont façonnées en baguettes moulées. En 2007, le musée de la Mode et du Textile présente toutes les toilettes qu'il créa pour son amie la chorégraphe Régine Chopinot. Son troisième millénaire sent si fort l'hommage et l'embaumement qu'il lui vient l'idée d'habiller pour sa tournée mondiale, l'idole des teenagers, la chanteuse Kylie Minogue : une manche oui, une manche non, des guêpières lamées, du satin anis, des dentelles violine, des choristes, des *boys*, des plumes. *Rock'n roll is back !* Kylie, pop-phénomène d'un mètre cinquante, devient sa Madonna de poche. Janvier 2009 : des babies Gaultier entrent en scène. Une collection « deux-seize ans » voit le jour, allégorie kid de tous ses basiques miniaturisés, portés par des fillettes afros et des Poulbot black. La vie n'est faite que de commencements. Le chiffre d'affaires (autour de 30 millions d'euros) est au mieux depuis qu'Hermès a hissé sa participation au capital à 45 % et vingt-huit boutiques JPG, de New York à Pékin en passant par Tokyo, internationalisent sa griffe. Styliste expresso, célèbre, aimé, doté d'une capacité de travail hors norme dont

Casaque Hermès

Anna aime à dire : « Jean-Paul n'est pas écolo mais il possède son propre système d'énergie positive renouvelable », porteur de dix projets simultanés, indémodable et d'avant-garde, couture et street wear : *What else ?*

Comme un garçon

> « Ce qui passe de mode entre dans les mœurs, ce qui disparaît des mœurs ressuscite dans la mode. »
>
> Jean Baudrillard

Le calendrier de la mode est inflexible. Sa tyrannie saisonnière impose d'enchaîner le défilé hommes printemps-été 2009 et la haute couture automne-hiver 2008-2009, à une semaine d'intervalle seulement ! Les nuits vont être blanches, ponctuées de cauchemars mettant en scène des robes inachevées à deux heures du défilé, des fermetures Eclair qui se lézardent, des mannequins passant du 36 au 38 en trois jours, sans prévenir, cet embonpoint soudain conduisant les couturières à des révisions déchirantes de dernière minute. Juin : le mois des examens. Ceux qui s'y collent – bacheliers, candidats aux grandes écoles, étudiants et arbitres des élégances – carburent alors au Sargenor, au chocolat noir ou au Nutella. Tout fortifiant licite est accueilli comme une bénédiction.

Soudain, en coulisses, la sonnerie aiguë d'un téléphone cellulaire retentit. Jean-Paul cherche dans son sac l'irritant iPhone, tente de décrocher, déclenche une alarme, perd l'appel, renonce. Fou rire général. « Je ne sais pas me servir de ces trucs sophistiqués, admet-il, fair play. Un jour, j'ai réussi à prendre une photo avec mais je n'ai jamais pu reproduire l'expérience. » Ruse : en réalité cette infirmité l'arrange, il continue à feindre la disponibilité mais demeure injoignable. Au sixième, on a installé dans son petit bureau un Mac blanc essentiellement décoratif. Régulièrement, cet ennemi de l'informatique hurle : « Quelqu'un peut-il me montrer comment marche cette fichue souris ? » Gaultier est irrémédiablement old school. Dessins, patrons, toiles, recherches documentaires : il fait tout à la main. Techniquement, c'est un postmoderne figé à l'âge des cavernes. Il sait zapper devant l'écran plat géant de son téléviseur, point final. Rue Saint-Martin, c'est la canicule. On la redoutait, elle est là, menaçante. Par bonheur, on ne débute pas par l'épreuve capitale. L'homme, exercice de style ludique, surtout chez Gaultier, devrait détendre les rédactrices juste avant le grand oral de la couture et sa cohorte internationale de visiteurs gradés. Mercredi 26 juin, 15 heures. A l'arrière du Palais, dans la petite cour tubulaire où l'équipe vient se détendre le temps d'une pause-cigarette, on a installé un monstre mythologique. C'est un tuyau-reptile blanc de quatre-vingt-dix centimètres de diamètre et d'une cinquantaine de mètres de long dont la colonne vertébrale mouvante, en accordéon, se déploie sur trois étages Cette hydre ventile son air frais jusqu'au podium où les climatiseurs high-tech prennent le relais en crachant leur brume fumigène et spectrale.

Au premier, le buffet sur nappe blanche agrémenté de loukoums et de mignardises est déserté par les mannequins qui conjurent leur hantise des calories par l'absorption frustrante de carottes et de mandarines. Les troupes maison ne s'alimentent guère non plus. Pas le temps, tout le monde est sur le pont. On enjambe l'inévitable serpent d'air pour accéder au premier étage consacré aux coulisses royales du défilé. Des dizaines de coiffeurs et de maquilleurs se tiennent prêts à magnifier les modèles selon un ordre et un timing impeccable punaisé sur un planning en trois langues. Des miroirs, des chaises, une compilation de musique house assourdie par le souffle rauque des séchoirs à cheveux créent une atmosphère de SPA étrange, presque clinique. Au bout de ces deux cents mètres carrés de salon de beauté tropical, trône la salle aux trésors. Une pièce en U contenant les tenues du défilé suspendues sur des cintres, enveloppées chacune dans des housses en plastique transparent géantes.

Scotchés sur ces sarcophages de vinyle : le nom du modèle, sa photo Polaroïd, sa taille et sa pointure. Curieusement, le mètre soixante-douze n'est plus prohibé, il côtoie sans complexe le mètre quatre-vingt-cinq standard. Gaultier combat tous les stéréotypes esthétiques et les traque jusque dans leur tyrannie verticale. Au feutre noir sur la housse, sont décrits en quatre lignes de style télégraphique le contenu de la panoplie et un diagnostic de dernière minute délivré au patient. Pour Antonin, vingt ans, un mètre soixante-dix-huit, pointure 44, Jean-Paul prescrit de « faire deux tours de ceinture car la taille est mince. Attention au tombé du pantalon ». Au sol, géométriquement alignés : les santiags croco ou autruche de ces messieurs, des sautoirs ras où barbotent trois dents de requin, des ceinturons à boucle apache, des turquoise. Sur ces accessoires de reines d'un jour Faïza, brunette menue, veille jalousement, en squaw vigilante recensant les armes de ses Cheyennes juste avant leur départ pour la guerre contre les hommes blancs. Donald Potard ne fait plus partie de la famille. Il avait proposé de développer des licences, notamment dans les arts de la table. Mais, en 2003, la société essuie des pertes. Exit nappes et assiettes. Dans la foulée, la maison doit se séparer de trente et une personnes et de grosses divergences entre les deux copains d'enfance provoquent le départ de Donald. Il s'en va et fonde un cabinet de conseil pour créateurs : « Agent de luxe ». Commentaire lapidaire de Jean-Paul : « On est fâchés à mort ! » Non loin du campement : Aïtize, assistante à la vente, et Frédérique, assistante couture, toujours présentes, vigilantes vestales du premier cercle. Depuis le décès de la charismatique Dominique Emschwiller, foudroyée par un cancer du pancréas, en août 2007, la petite troupe de la rue Saint-Martin se sent vulnérable. Cette femme d'affaires maternelle avisée épaulait Gaultier depuis ses débuts. Elle lui manque cruellement.

Le thème du défilé « Indiens et cow-boys » ne suscite aucune excitation régressive chez ces teenagers. L'ambiance est assez sérieuse, seuls deux ou trois francs-tireurs font les marioles. Mais la majorité de la troupe défile depuis trois jours *non stop* : Agnès B, Vuitton, Sonia Rykiel. Plein les bottes et la tête qui tourne…

Jean-Paul, depuis toujours, recrute à rebours des canons officiels. Athlétiques et bodybuildés quand l'anatomie androgyne règne, rigolards et moustachus à l'heure des éphèbes secs, Afghans au regard de braise pour contrer un bataillon d'Harry Potter imberbes et old school. Avec lui, on peut s'attendre à tout sauf à un groupe de modèles représentatifs et homogènes. Du coup, tout le monde a sa chance – le voyou et le cracheur de feu, le minet et l'anar, le rouquin et le chauve. Prime au look, pas au book. Ils sont dix-huit, les *JP boys*, ils bivouaquent sans feu de camp. Arrivés la veille de Milan, certains ont été castés en une heure. On ne recense que trois Français parmi une armada de beaux gosses russo-américano-britanniques. On remarque des gueules cassées, des physiques baraqués, des débutants maladroits horrifiés quand ils découvrent leur tenue : Carlos portera un caleçon de bain marine moulant, rétro et un gilet de daim sur son torse nu, pas de chaussures ni de chaussettes. A la hâte, on lui épile les jambes, ce qui a l'air de contrarier ce macho.

Il faut compter deux heures minimum de préparation pour un défilé standard. Ils s'enfoncent dans le disque dur de leur iPod, téléphonent, étrennent leur appareil photo numérique ultraplat, dernier cri, made in Tokyo, censurent leur sentiment d'impatience. Ados explosifs, les New-Yorkais débarquent, sac à dos sur les épaules et plan de métro à la main. Ils portent des bermudas écossais XXL, des marcels blanc à trous-trous, pieds nus dans des Pataugas délacées. Hors champ, dans le civil, il n'y a rien de moins branché, de moins looké qu'un *cover-boy* au repos. A qui ressemble-t-il ? Pas à Brad Pitt ni à Antonio Banderas. Il est la copie conforme du petit voisin qui fait son droit, du fils de la concierge qui a rejoint l'équipe de France de hand-ball. C'est la magie du show qui va le muer en bête de mode, en icône sur papier glacé. La hantise de se sentir féminisé dans ce drôle de métier qui n'en est pas un les poussent à se banaliser, à adopter des postures de basketteur égaré dans un salon de coiffure, à afficher une moue mutique et désenchantée. L'air neurasthénique, les tops bullent, dans une apathie potache. Les habilleuses les adorent. Contrairement aux filles, ils ne font jamais de caprices. Les gentils garçons tristes s'apprêtent tout seuls, enfilent leurs tenues, comme de futurs gentlemen bien élevés par « maman » qui est bien souvent tout à la fois leur agent, leur mentor et leur seul ange gardien.

Ils savent d'expérience que tout va aller très vite. Dans une heure, il faudra se concentrer, poings fermés, sourcils froncés, avancer d'un pas convaincu, athlétique, quasi militaire, pour un quart d'heure de show. C'est la métamorphose du podium, la rock attitude, la minute d'adrénaline. Morgan, vingt-deux ans, cheveux châtain cendré, peau mate, yeux bleu canaille, culot inédit, se distingue. Dans ce sérail de *Barbie boys* taiseux, il fait figure de bouffon rebelle, hèle Gaultier, teste ses vannes, obtient des rires, triomphe intérieurement et jubile. Il aime parader, s'efforce de plaire. Morgan aspire à l'art dramatique. S'il défile, c'est pour boucler les fins de mois, en attendant mieux. Débrouillard, il a été casté en direct, en accéléré et par le patron lui-même, sans passer par le filtre des agences. « Je suis monté sur le podium, raconte-t-il, bravache, avec mon manteau bleu tout usé. Le soir même Gaultier me téléphonait pour me demander de défiler le lendemain. Il m'avait juste fait marcher un peu. Cela fait trois fois que ça se passe comme ça, sans casting : c'est rarissime ! »

Morgan plastronne un peu mais c'est de bonne guerre dans un milieu qui pratique la concurrence des looks, des CV et des books exactement comme chez les *cover-girls*. Sauf que cela se sait moins, se raconte peu. Un flou artistique flotte encore sur la profession, la protège, l'embrouille. Tanel, dix-huit ans, des yeux émeraude fendus, un visage émacié émergeant d'une barbe de trois jours, analyse plus prosaïquement son expérience de modèle éphémère. Son deuxième défilé Gaultier, il le doit à une recommandation d'ami d'amis. Hier encore, il commentait un texte tiré du *Chef-d'œuvre inconnu* de Balzac. Nicolas Poussin, embusqué dans un paragraphe, lui a compliqué la tâche. Mais le bac français est-il vraiment indispensable à une carrière de rocker ? Pas nécessairement. La mère de Tanel s'appelle Helena Noguerra. *Cover-girl*, comédienne et chanteuse, sœur de Lio, elle a baptisé son fils ainsi en hommage à son ami, mannequin-vedette de la maison Gaultier. En conséquence, Tanel junior vénère Tanel senior, sorte de parrain symbolique et affectueux. « Ce métier, dit-il, pragmatique, c'est facile. Il suffit de marcher. »

Il est 14 h 30. Jean-Paul, chemise blanche, sweat et jeans noirs, vient inspecter ses troupes. Dans la coulisse, son parcours est toujours le même, obéissant à un tracé initiatique, presque rituel : un temps d'arrêt dans la pièce aux trésors renfermant les vêtements, une pause devant la grande table où sont rassemblés les accessoires. Ici le Stetson de paille, noir ou blanc, décliné en dix-huit exemplaires, donne le ton du show « Western ». Les spécialistes y verront une citation de la cuvée 1989 intitulée « Les mystères de l'Ouest ». Elle était plus baroque, moins urbaine. Puis, le patron effectue deux pas de côté afin d'examiner les Polaroïd du grand panneau mural où sont reproduits au bouton de manchette près les tenues de la collection. Circonspect, replié, autiste, il semble indifférent au monde, figé dans ses représentations internes. L'œil bleu derrière les lunettes effectue quelques rotations. La main effleure le menton, le maintient, façon maître de conférences. Un temps. « Le corps qui danse en permanence » – c'est ainsi que la chorégraphe Régine Chopinot décrit son ami – avance, s'enfonce, comme un aventurier dans la jungle. Coiffeurs et maquilleurs ont repéré son manège. Ils savent qu'il s'agit d'un examen, déguisé en visite courtoise. Arrêt devant les miroirs : brefs dialogues ponctués de grands gestes, mimique solaire, éclats de rire complices ou sarcastiques, c'est selon. Tout en parlant, l'expert a déjà pointé une ou deux anomalies.

L'extension de cheveux de Danny n'est pas à son goût. La petite tresse qui dépassera du Stetson, ce postiche d'inspiration cheyenne, doit mimer à la perfection les clichés couleur sépia représentant des tribus d'Indiens épinglés sur la feuille de route. Un geste : Danny retourne sur le fauteuil de torture pour se faire scalper. Cette scène révèle le perfectionnisme du styliste. Raphaël, un des coiffeurs de l'équipe d'Odile Gilbert, la commente avec précision : « Les cheveux de Danny étaient trop épais pour le style du chapeau. Jean-Paul a voulu une correction. Avoir un œil, c'est ça. Il est interventionniste, c'est son truc. Des couturiers aussi concentrés *backstage*, il y en a peu. Lui paraît désinvolte, amusé, mais il surveille tout, voit tout au laser. Voilà pourquoi le look Gaultier est reconnaissable entre mille. Une coiffure, un maquillage par modèle : il sait exactement ce qu'il veut et ne lâche rien tant qu'il ne l'a pas obtenu. Il ne mise jamais sur l'impression d'ensemble d'un défilé, ne joue pas sur le collectif. La tenue de chaque mannequin, sa coiffure et son maquillage sont pensés individuellement. »

La tension monte d'un cran. Le sémaphore se démultiplie. Dans la salle, soudain envahie par un monde parallèle de photographes, de reporters, de mères de mannequins et de livreurs, on reconnaît les employés maison à leur allure TGV. Ils sont les seuls à se déplacer en courant, les bras chargés d'une paire de bottes ou d'une boîte enrubannée comme si le record du quatre cents mètres haies était en jeu. Ici, à part ces autochtones zélés, tous les indigènes portent un badge rose esquimau. Les deux physionomistes postés aux entrées identifient ainsi les intrus et les expulsent d'un regard furibard. Dans ce souk de luxe, les seuls repères, les vraies boussoles de Jean-Paul sont les coiffeurs et les maquilleurs, fidèles lieutenants qu'il retrouve à chaque collection. Leur présence est rationnelle, rassurante et récurrente, leur fonction codifiée et précise.

Pour l'instant personne ne marche. On règle encore des détails, on prévient des accidents majeurs : un revers qui lâche, un ceinturon manquant à l'appel. Dans cette demi-heure qui précède le show, alors même qu'il est dévasté par un trac dantesque, chronique, Gaultier doit simultanément coacher ses troupes, répondre aux interviews de deux radios et de trois télés câblées, pressé entre une minifoule compacte et une rangée de tables, debout, aveuglé par les projecteurs tenus comme des perches par les techniciens. Protée passe de l'anglais au français, plaisante, fait le show, exprime sa légendaire bonne humeur, diffuse son optimisme ravageur et son sourire banane. En schizophrène adapté, il se dédouble, il en a l'habitude. Cela fait partie du jeu, du *JPG circus*, du fonds de commerce. Tandis qu'il répond aux questions avec cette sincérité concentrée et cette générosité sans calcul qui le caractérisent, son regard est distrait par une scorie, un petit désastre évitable. Discrètement, l'index se lève. Faïza surgit, casque sur le cou, assistante sportive. D'un geste imagé, il lui signifie que la fine moustache d'hidalgo d'Antonio – passage numéro un – n'est pas encore dessinée. Elle conduit le Latino imberbe au maquillage où l'aberration est réparée en deux coups de crayon. La caméra vidéo tourne toujours, l'interviewé rasséréné suit Antonio des yeux et conclut, désinvolte, dans une pirouette verbale : « Voilà pourquoi le thème du western me paraît cette année une assez bonne idée. »

De défilé en défilé, au fil des saisons, le challenge, au fond, est toujours le même. Paraître omniscient, omniprésent, attentif, vigilant, fournir aux initiés un discours chargé de sens même s'il est improvisé sur l'instant et faire preuve de légèreté dans ces moments de tension extrême. Etre observé en coulisse, jugé dans la salle par un commando de journalistes armées de stylos-mitraillettes et de magnétophones, une tribu « modophage » éreintée par la semaine de défilés haute couture, dopée par la nouveauté, prête à louer ou à lyncher. Une meute ultralookée, grisée, famélique et affamée, à qui il faut en donner toujours un peu plus pour nourrir un appétit féroce. Un gynécée qui fonctionne à l'impulsion, au caprice, à la poésie de l'instant tout en recourant désormais à la technique pour pallier sa mémoire défaillante. Progrès technique : les rédactrices impriment sur leurs appareils photo numériques la totalité du défilé. Exit l'improvisation ou l'à-peu-près. La mode est scrutée, captée, radiographiée, scannérisée. Sa matière consommée visuellement en *live* s'apprête à entrer dans un laboratoire où on la disséquera *in vivo*. L'éphémère se meut en document, c'est une rupture.

Dans dix minutes, le *runway* sera foulé par les cowboys et les Indiens. Dans le tipi, on affûte les dernières flèches. Les séchoirs se sont tus, colts soudain aphones, on entend les pas secs des hommes de l'Ouest enfin présentables. Sa fine moustache hispanique est merveilleusement dessinée, mais Antonio l'hidalgo n'est toujours pas prêt pour le grand rodéo. Il offre un spectacle baroque. Cheveux longs sur torse glabre, il a gardé sa tenue de ville : un short trop large d'où émergent deux mollets poilus flanqués sur un tabouret au bout duquel une esthéticienne polit et vernit ses gros doigts de pied virils. C'est insolite. L'ambiance rave sur la plage d'Ibiza s'achève. C'est Faïza qui met fin au chaos. Un à un, les ados en tongs rejoignent leur portant, enfilent des pantalons sublimes, des chemises à carreaux, bouclent leurs ceintures et chaussent leurs santiags. Stetson, colliers ras à dents de requin. Les garçons se mettent en rang et au pas, disciplinés, stoïques. Jean-Paul, Sioux, dissimulé derrière le rideau du catwalk, encourage ses guerriers puis surveille leur parcours sur l'écran de contrôle.

Le western a plu à la tribu de la mode. Rituel de fin de show : petits-fours et coupes de champagne circulent, les derniers visiteurs s'attardent. L'été prochain, on signale une invasion de Cheyennes chic dans les rues de la capitale. Comme le veut la coutume, Gaultier, droit comme un I, au bout du podium, reçoit les félicitations des invités. Ce manège final peut durer une bonne heure. Kapov, le rédacteur en chef de *Citizen K*, créature étrange et lunaire, sexuellement indécise, entre David Bowie et Pétula Clark, semble conquis. L'Asie, en bottes blanches de moto et grands cabas argentés, vient rendre grâces et courbettes. Moscou – un tandem éthylique et sonore composé d'un cameraman viril et d'une néo-bimbo en short de satin – capitule. Exsangue mais souriant, le chef indien peroxydé, pacifique et détendu, palabre : « C'est très portable, non, tous ces pantalons droits, ces gilets brodés ? Quand je pense qu'à mes débuts on m'a accusé de déguiser les hommes. Je trouve que je me suis bien assagi. »

17 heures : il s'éclipse. Jelka Music, directrice de la communication, est assez euphorique. En position assise – posture rarissime chez cette activiste verticale –, toute de noir Gaultier vêtue, dans le casting maison, elle figure la vestale des pays de l'Est, vigilante, subtile, libellule inquiète, attentive aux moindres détails. Elle gère la presse, mission délicate, coache les médias susceptibles et revendicatifs. Par voie de conséquence, c'est un bras droit, on devrait dire un bras articulé à position multiple, pouvant faire office de paratonnerre et de parachute. Telle Shiva, elle assure plusieurs prises,

se meut en *go-between* entre le patron et le monde extérieur, veille sur son planning, sorte de scrapbook évolutif à mi-chemin entre le *Guide du routard* et l'agenda de ministre. Pour arriver à Jean-Paul, on passe le plus souvent par Jelka. Cette optimiste alternative déclare que tout s'est bien passé. On peut la croire. C'est un bon sismographe. Ses expressions reproduisent assez fidèlement l'état intérieur de Gaultier. Mais son extase est de courte durée : « La semaine prochaine, annonce-t-elle de sa voix mélodieuse, à la même heure, on sera beaucoup moins détendus avec la couture. »

Pretty women

«Je déteste toute forme de possession.»

Karl LAGERFELD

Le marathon continue. Dans le feuilleton de l'été, la couture représente le paroxysme de l'intrigue. Son potentiel, son *climax* et son audimat décisifs. Le dispositif déployé est digne d'une visite de chef d'Etat. Les cartons ont été envoyés, les *beautiful people* et la presse internationale convoqués. Les imprimantes recrachent déjà par dizaines d'exemplaires le plan quadrillé de la salle. C'est une feuille de route classée secret défense, presque un mémento du Mossad. En gris : la presse, en jaune : les places libres (elles sont rares) pour les invités de dernière minute, en rose : les clientes, présence capitale. Une demi-journée de décompression. Et le spectacle continue. La troupe de la rue Saint-Martin répète à guichets fermés. Huit jours seulement pour une représentation unique et décisive, castings, révisions déchirantes, doutes et essayages compris. Lorsqu'il ouvre ses portes pour la grande cérémonie, l'Avenir du

Prolétariat est assiégé d'une centaine de VIP, lookés jusqu'aux dents. Assister à un défilé, c'est voir et être vu. La queue caquetante s'épaissit.

A cet instant, celles qui se fraient un passage dans la foule connaissent l'exquise gratification des importantes. Les vigiles les repèrent et les guident. Entrer en priorité est un privilège, signalant l'excellence de la plume, le statut du journal, la notoriété de l'animatrice télé, la tête couronnée ou la jet-set attitude. Il existe donc un défilé officieux, précédant l'officiel, celui qui orchestre l'arrivée des fashion-women-vraiment-influentes et leur occupation extatique des premiers rangs. *Madame Figaro* est en bonne place, *Elle* se distingue, *Vogue* virevolte. Suzy Menkes, diva du *Herald Tribune*, vêtue en concierge de Brooklyn, toujours dotée d'un Instamatic Kodak, talonne la french troupe. A l'avant, les vedettes. Annoncée sur un carton blanc en tant que « Madame Ritchie », ce subterfuge ne trompant personne, Madonna est attendue comme une apparition de la Vierge. Viendra, viendra pas ? Les actrices débutantes espèrent, l'air désabusé, qu'on les identifiera. Dans ce décor diurne mais crépusculaire, privé de clarté, le brusque déplacement des projecteurs crée un effet de surprise, indiquant au profane la présence d'une divinité que la lumière, l'attroupement et l'instant du cliché démasquent crûment.

Clotilde Courau, Rachida Brakni, Natacha Régnier, Patricia Arquette, Janet Jackson sont séduites puis abandonnées. Le halo lumineux se détourne, capricieux, volage, aussitôt happé par une autre vision, un nouvel objet du désir. Précédée de deux jeunes hommes élégants en costume noir, Anna Wintour, numéro un du

Vogue américain, surgit, captant du coup – c'est l'objectif – tous les regards. Silhouette siglée, profilée, estampillée « killeuse », du tailleur cintré à l'immuable carré de ses cheveux châtains, Wintour perpétue son mystère, entretient savamment son image. Mutique, archidéterminée, authentique personnalité psycho-rigide, elle inspire un respect craintif. Dans *Le Diable s'habille en Prada*, comédie à succès, Meryl Streep, lèvres pincées, regard flou, lui prête ses traits et son jeu acéré. En vertu de quoi, Anna Wintour, légende vivante, s'est hissée au rang de tigresse éternellement masquée par ses lunettes griffées. Assise, bien en vue, celle qui fait et défait les réputations d'une moue approbatrice ou d'un signe de lassitude, brandit son stylo Montblanc tel un nunchaku. La messe peut commencer. Beaucoup moins traquées par les photographes, les clientes, entité abstraite, un peu floue et menaçante, sont discrètement disséminées à des places de choix. Splendeurs et misère du sitting. Le plan de salle d'un tel raout est une stratégie qui dépasse en ingéniosité occulte tout ce que Nadine de Rothschild a pu compulser en trente ans d'apprentissage et d'exercice assidu de la vie de baronne.

Ici, l'erreur peut être fatale. Des conventions culturelles, ethniques compliquent le dispositif usuel, détournant le rituel des bonnes manières *french touch*. Par exemple, on ne sépare pas les incontournables épouses voilées des rois du pétrole, on les agglomère de manière élégante mais tribale. Dans les rangs E, H, F, sont rassemblées les familles Al Khalid, Al Saoud, Al Thani, Al Wazzan, Bint Mansour, Bint Mohammed, Bint Sand ou Bint Sultan. A quelques blocs de là, la noblesse a dépêché la princesse d'Arenberg. Madame

François Pinault, Danièle Ricard, Madame Alain Minc, Madame Rosetta Getty, représentent la bourgeoisie. La finance, l'aristocratie, les émirats arabes, le show-biz délèguent leurs frivoles attachés d'ambassade. Le pouvoir de l'argent concentré consulte un programme en trois pages où il n'est question que de plumes, de dentelles et de strass. C'est incongru. Page postmoderne ailé, zélé, Inès de la Fressange s'est éclipsée *backstage* pour saluer son ami Jean-Paul avant de replier sous un siège ses jambes télescopiques gainées de jean blanc. C'est une salle comble, compacte, complémentaire, idéale. Actrices, chanteuses, princesses, *cover-girls*, adolescentes, douairières : toute la *gentry* de la mode a répondu à l'appel. A l'encre noire, les patronymes des invités délicatement calligraphiés sur des cartons de velin blanc cassé ornent leurs sièges Régence. Cette distinction honorifique dissipe la contrariété de l'anonymat collectif. Ici, tout le monde possède une identité remarquable, chacun – chacune – est cité au générique du défilé. Par une insolite inversion des lois du spectacle, le nom des mannequins n'est pas lisible – les actrices joueront incognito –, celui du public, en revanche, se déchiffre aisément, manière implicite de suggérer qu'on pratique en ces lieux la mise en abyme : le théâtre dans le théâtre, la représentation en miroir.

C'est l'illusion comique. Dans *Système de la mode*, Barthes fait d'ailleurs un sort au patronyme illustre. Il le décrit comme un élément constitutif du désir des femmes pour la parure : « En mode, l'affiche du nom ne peut se faire directement puisque la lectrice est anonyme ; mais de toute évidence c'est son nom qu'elle rêve en déléguant son identité à quelques personnalités, qui viennent compléter le panthéon des vedettes usuelles, non parce qu'elles sont issues d'une Olympe d'actrices, mais précisément parce qu'elles ont un nom : comtesse Albert de Mun, baronne Thierry Van Euplen. Sans doute l'affiche aristocratique n'est pas absente de la connotation, mais elle n'est pas déterminante. Etre, c'est avoir des ancêtres, de la fortune ; et si l'un et l'autre font défaut, le nom, comme un signe vide qui garderait cependant sa fonction de signe, continue à préserver l'identité. On voit donc la mode rêver d'être soi et d'être une autre. » Depuis les années soixante, presque rien n'a changé dans la métempsycose des rêveuses. Hormis les prénoms des porteuses de robes : moins de filles en « i », plus de beautés en « a », Laetitia, Claudia, Linda, Carla. Il s'agit bien de créatures pronominales dont le nom de famille est superflu. Telles Athéna et Minerve, ces déesses méprisent l'état civil. Leur enveloppe physique surnaturelle, mythique, les inscrit d'emblée dans le champ de l'excellence et du désir mimétique. Elles font partie intégrante du système onirique de la mode. Si l'on mesurait en outre le succès d'une collection au nombre de patronymes prestigieux venus l'applaudir, cet automne-hiver 2008-2009 obtiendrait un bon score.

Mais derrière la chantilly du *Bottin mondain*, il faut évaluer le craquant de la meringue acheteuse. Et, dans la plupart des cas, les jeux sont faits bien avant le défilé, les rendez-vous déjà pris un mois avant par les secrétaires de ces dames, les e-mails échangés entre Pékin, Moscou, Bombay, Dubaï, New York et Paris. Dans les deux jours qui suivent l'événement, une dizaine de richissimes clientes annexeront les salons de la rue

Saint-Martin. Pendant le défilé, en bonnes élèves, elles ont minutieusement coché sur le programme les robes convoitées parmi une cinquantaine de propositions. La suite est un jeu d'enfant. Essayage, assemblage, découpage, ajustage, petits arrangements avec les corps, magie du sur-mesure : la Saoudienne voilée va se métamorphoser en créature Gaultier et recevra un mois plus tard en son palais la splendide parure numéro seize baptisée « Le rouge est mis », un trench-coat en crocodile écarlate à taille en strass. Bien souvent, elle ne se contentera pas du manteau et c'est une dizaine de toilettes qui s'envoleront au pays des *Mille et Une Nuits*. Voilà pourquoi les journées d'essayage post-défilé sont absolument décisives pour la bonne marche de la maison.

Mais avant les affaires, le show ! En dépit de la chaleur croissante, du retard habituel, le petit peuple de la mode bavasse aimablement. En coulisses, le rap haché d'Eminem résume la nervosité ambiante. Il a fallu renvoyer d'urgence une robe à l'atelier. La mécanique grippe, le temps devient un ennemi retors. Pour ne pas céder au stress, les filles ont des ressources : des mp3 vissés aux oreilles, des BlackBerry à écran tactile activés de la main gauche tandis que la main droite est confiée à la manucure. Elles développent aussi des stratégies de concentration par la lecture. Une beauté chinoise dévore un roman de gare russe. Mais les filles, pas plus que les garçons, ne dialoguent pas entre elles. Règne une curieuse indifférence érigée en règle de savoir-vivre, conséquence probable de leur rivalité de stars du podium. Dans ce KGB froufroutant, aucune information ne doit filtrer. Au discours, on substitue l'image et un système de signes et de sons codés. Quand Marie, Moscovite blonde aux yeux bleus, s'exprime, c'est pour tuer le temps, en contrôlant chaque phrase émise, en autocensurant ses propos innocents : « Cela fait six fois que je défile pour lui, murmure-t-elle dans un anglais qui roule les *r*. C'est théâtral, inspiré, grandiose : j'adore. Et puis, Jean-Paul Gaultier est une personne vraiment humaine, très attentionnée. Aux essayages, il veille toujours à notre confort dans les vêtements. Cette politesse est assez exceptionnelle dans le milieu des créateurs. »

Avant sa métamorphose signée Tom Pécheux, maquilleur inventif, Marie évoquait une fraîche et naïve paysanne ukrainienne. Une heure plus tard, elle est méconnaissable : entre l'oiseau de paradis et la cyber-nymphe. Deux larges sticks rose fluo encadrent ses sourcils, son teint est blanc tendance geisha, sa bouche rubis imite la forme d'une minuscule framboise écrasée. Jean-Paul n'est pas satisfait du résultat. A Odile Gilbert, il mime la coiffure qu'il souhaite obtenir. L'experte s'exclame : « D'accord. Tu ne veux pas d'un chignon-aigrette. C'est une crotte que tu veux ! » La crotte-couture est édifiée sur-le-champ. Le visage de Marie repasse de main en main, il semble de plus en plus miniaturisé, éthéré, abstrait : un blason, un simulacre de tête de fauvette. Lorsqu'elle apparaîtra sur le podium, cette figure stylisée exprimera l'effet voulu par le créateur : la frivolité craintive, étourdie d'une femme-oiseau. Car il a décidé de toutes les mettre en cage cet hiver. Dans sa somptueuse volière, pas une n'y coupera. Même la mariée défilera dans une somptueuse camisole d'organdi blanc. Qu'on en déduise une métaphore de l'amour prison, de la conjugalité qu'on enferme, de la séduction barricadée ne le gêne pas. Sa propre interprétation est plus poétique, du côté du surréalisme et de Breton : « Ce thème, dit-il, correspond à mon travail sur la construction du corps. La cage est la structure qui maintient. C'est un paravent entre ce qu'on voit et ce qu'on ne voit pas. La tour Eiffel n'est rien d'autre qu'une cage qui laisse entrevoir Paris. »

En haut de la tour Gaultier, au sixième étage de l'atelier, sur des tables en quinconce, tout un fouillis de résilles, de patrons, de bobines de fil fluo, de boléros en satin, en soie, attendaient il y a quelques heures encore que les petites mains opèrent et transforment cet habit d'Arlequin en collection féerique. Mademoiselle Mireille, première d'atelier, est inquiète. Le pink d'une robe-cage est trop soutenu, elle l'aurait voulu plus doux, plus thyrien. Cette redoutable clinicienne vient de chez Léonard. Jean-Paul lui voue une confiance absolue. Parfois, elle se rend seule au bout du monde pour habiller les clientes. Le voussoiement des deux experts évoque un Labiche en un acte : « C'est vous qui avez raison, Mademoiselle Mireille, cette couleur ne tient pas, dit Jean-Paul, au bord de la crise de nerfs.

– Ne vous inquiétez pas, Monsieur Gaultier, les passementeries vont réchauffer la chose », réplique la thérapeute non émotive. Gestes précis, doigts de fée, coup sec du ciseau, conversation feutrée. Soudain, par miracle, les pièces détachées se joignent dans un décor qui tient du Crazy Horse et du bazar chic. Les plumes de paon, les pièces de cuir, de lézard, les crinolines pistache et framboise, les bottines Manolo Blahnik, les perles et les strass intègrent en urgence leurs grenouillères en plastique. Le cordon ombilical est coupé. Lustrés, numérotés, emmaillotés : on dirait un commando de nourrissons prêts pour leur première sortie dans le monde.

Cinquante minutes de retard... Jean-Paul arpente les coulisses de long en large. Ne répond plus aux interviews. D'ailleurs, les badgés, observateurs en tout genre et nounous de mannequins, s'éclipsent. C'est l'heure du grand show. Les beautés se glissent dans leurs toilettes de sublimes volatiles. Jean-Paul, concentré, muet, monte derrière le podium et ne quittera plus son poste de pythie jusqu'à la fin du défilé. Ces deux étages d'escaliers étroits, périlleux, menant à la lumière des flashes portent les traces des stilettos qui les ont foulés depuis 2004. Le linéum rouge est un peu écaillé, troué de blanc, comme si le sol, compatissant, gardait en mémoire la douleur traqueuse des filles juchées sur leurs souliers de torture. Dans la salle, les éventails s'agitent avec force. On s'impatiente. Soudain le silence. Puis la lumière et les applaudissements compacts. Le défilé commence mis en musique par le DJ Thierry Planelle : rap, opéra, comédie musicale, techno douce, les filles-colibris s'envolent sur le podium, lustrant leurs ailes de paon dans un kaléidoscope de couleurs rouille, bleu électrique, jaune banane. Leurs petites têtes pivotent, tourterelles insolentes, picorant des regards admiratifs, suscitant en écho les gloussements du public, basse-cour conquise, plumée par la pantomime animalière. Le dresseur d'oiseaux de feu triomphe et galope, une fois de plus.

L'homme sans vanité

> « Vouloir être de son temps, c'est déjà être dépassé. »
>
> Eugène IONESCO

Visionnaire exhaustif, Jean-Paul a anticipé la crise du capitalisme, système déraillant de New York à Dubaï. Avant même que Jean-Claude Trichet ne revoie ses courbes du Cac 40 à la baisse, cet expert a dévalué son look. Petit pull en V, jean, doudoune, total look dark. Le noir est une couleur. Seule concession à la tendance : une gibecière en cuir souple qu'il porte en bandoulière et dont la sangle imite un sparadrap à l'ancienne. A défaut d'une jupe, l'homme possède un sac, manière minimaliste de rappeler qu'il fut le grand styliste de l'égalité des sexes. Les mains sont nues, ni bague, ni bracelet : aucun lien. Ses baskets ne viennent pas de chez Hermès où l'on serait pourtant flatté de chausser, et sur mesure, le créateur maison.

« Les souliers sont faits pour marcher », réplique-t-il en éclatant de rire. Seul détail frivole : une élégante montre rectangulaire à double lanière où l'on reconnaît la griffe de l'illustre sellier : « C'est Martin qui l'a dessinée. » Martin, c'est Margiela, son prédécesseur rue du Faubourg-Saint-Honoré, son ex-assistant, son ami de toujours. Désormais, Jean-Paul est radicalement « no logo ». Après avoir incarné sa marque en acte, offert son corps – un mètre quatre-vingt, mince, musclé – non pas à la science mais à la mode, décoloré ses cheveux, véhiculé, homme-sandwich en kilt, ses propres bonnes idées, cette propension au « *less is more* » pur et dur semble assez intrigante. « La mode ne m'intéresse que pour les autres », lâche-t-il en commandant la première des trois entrées qu'il convoite à la Casa Olympe. Le punk sentimental se meut peu à peu en rocker monacal. Cet uniforme Emmaüs clean attriste d'ailleurs la clientèle. Même la baronne et la comtesse des deuxièmes rangs ne détestaient pas le côté *Orange mécanique* du surdoué de la coupe. Les acheteuses du prêt-à-porter s'étonnent de le voir si BCBG, si rangé : « On a l'impression qu'il porte toujours le même pantalon et le même chandail », explique une élégante.

En réalité, l'immense dressing géométrique de l'avenue Frochot évoque celui de Bateman, le golden-boy serial killer d'*American Psycho*. Il contient de quoi vêtir une dizaine de Jean-Paul. Un bataillon de pantalons de laine, une cinquantaine de chemises pliées en embuscade, une légion de Nike et de boots Saint Laurent jouxtent l'armée des redingotes, trenchs et cabans siglés JPG. Mais peu de gens pénètrent dans la tanière de l'ours. Ce privilège est réservé à trois ou quatre intimes, tout au plus. « Mais comment ça, qui vient à ses dîners ? Personne, voyons, s'exclame sa cousine Evelyne. La dernière soirée qu'il a donnée remonte au réveillon de l'an 2000. Nous étions une vingtaine : la famille Potard, la famille Menuge et les Gaultier ! » Pas de quoi émouvoir Massimo Gargia. Un code ultrasecret permet d'accéder à ce passage mythique, à deux pas de Pigalle. Django Reinhardt y brûlait ses meubles dans la cheminée – feu de bois manouche –, Toulouse-Lautrec, inquiétant nabot barbu, y invitait nuitamment ses modèles et la voisine notait toutes ses allées et venues, au cas où. Au numéro 1, agonise sous scellés un hôtel particulier néogothique, orné de vitraux qu'on dit hanté. Il fut successivement la propriété du compositeur Victor Massé, puis de Sylvie Vartan à qui Matthieu Galey, critique à *L'Express*, le racheta à la fin des années soixante.

Le nouveau membre de l'illustre impasse se fait discret quand il rentre, vers 22 heures, après une journée de douze heures de travail. Un ravissant jardinet dissimule un cactus, des mimosas, des roses et des belles-de-jour indigo, petites miraculées végétales, refleurissant d'elles-mêmes, sans soin, sans fin. Dans la chambre à coucher, un vaste lit-miroir. Cocteau y aurait fait dormir « La belle ». Au sol, des mosaïques. Sur les murs, des poutres apparentes et du tadelakt blanc cassé : un décorum marocain en plein cœur de Pigalle. Un majestueux escalier *ebony* mène aux deux étages. Stop. Arrêt sur image : il faut bien s'imprégner de ces fauteuils de cuir rouge, de cette table basse éphémère. Ils sont condamnés à disparaître, à finir leur existence nomade à la cave. Ces meubles luxueux, chinés aux quatre coins du monde, sont assez vite ravalés au rang d'articles de brocante. Jean-Paul s'entiche et se sépare brutalement. Valse-hésitation de l'homme d'intérieur, samba des matières premières : toutes ces choses dont on s'accommode sont chez lui en CDD : « Son mobilier, explique Evelyne, on ne peut pas le décrire puisqu'il change tout le temps. » L'effet *morphing* est constant, vaguement grisant, âmes sensibles s'abstenir. Cette graphique cuisine japonaise ? Eclipsée par un électroménager fonctionnel. Ces canapés blancs moelleux, cosy, conviviaux ? Circulez. Place aux sièges *single*. La rutilante salle de musculation high-tech ? Démontée et remplacée par une piscine en sous-sol, un « Bains-Douches » personnel en somme, sans carré VIP, ni physionomiste à l'entrée.

A ce constant happening des meubles, correspond une bougeotte du corps dans l'espace. Nombre de déménagements au sein de la même impasse Frochot : quatre. Il a successivement annexé le 2, le 5, le 8 et le 10. Avec Francis, ils ont changé quatre fois d'appartement et on dénombre trois adresses de son siège : rue Vivienne, Faubourg-Saint-Antoine et la rue Saint-Martin, splendide et définitif Rosebud. Il existe une grille de lecture professionnelle de ce décor twisté, de cet espace intime coulissant. A son intérieur, Jean-Paul fait subir le même traitement qu'à ses créations de mode et presque au même rythme. Comme il est le recordman en nombre : deux lignes prêt-à-porter hommes et femmes, deux lignes pour Hermès, deux défilés haute couture et deux minidéfilés enfants, soit dix collections par an, il applique inconsciemment ce vertige visuel à sa propre maison. Fait tourner les tables au sens strict, occulte l'unité de temps, impose à sa vie intérieure la mise en scène d'un défilé. L'avenue Frochot est son ultime show-room. Les chaises, lits, luminaires, locataires saisonniers, démodables, périssables, ne demeurent sur leurs portants que le temps d'une pulsion. Instable ? C'est probable.

Attaché aux êtres, fidèle, il méprise le monde matériel et ne s'y fixe pas. Il est resté l'enfant d'Arcueil, le petit chouchou des rédactrices de mode, le môme qui pique une colère et casse tout dans sa chambre. « Foule sentimentale », la ballade de Souchon, lui colle à la peau. « Attiré par les étoiles, les vagues, que des choses pas commerciales. » Il vend du luxe et désapprouve le consumérisme. Habille les clientes Hermès et vote Ségolène, le cœur à gauche, le portefeuille en chevreau glacé coincé dans la poche revolver droite. « Jean-Paul possède une double personnalité », avance Irène Silvagni qui l'a connu débutant. En apparence, tout est en place. A cinquante-huit ans, l'allure est toujours juvénile, la voix rieuse, le ton enlevé. L'œil bleu pétille, la gestuelle en spirale accompagne le verbe fluide. Sa conversation est un dédale ludique, un coq-à-l'âne panaché de leçons de mode distillées avec ingénuité et rigueur. Evoque-t-on la couleur lamée de la sublime minirobe-cage hispanisante du dernier défilé couture ? Il corrige, affable mais perfectionniste, jamais sentencieux : « Lamé ? Non. C'est un effet de lumière. En réalité cette robe est chair avec du gris marcassite métallisé et argent. Le rose est grisé par le métal et devient un or pâle. » Mallarmé, signant ses chroniques de mode du pseudonyme fleuri de Marguerite de Ponty, n'aurait pas fait plus précis.

Quand il peut parler de ses robes, petites sœurs incarnées, en ingérant une chaleureuse cuisine de terroir, cet homme est aux anges. Dans ce restaurant de la rue

Saint-Georges, son QG, il commande, avec une cohérence comique, de l'eau minérale Saint-Georges. La patronne, vestale brune et trapue, le materne discrètement. Ces deux-là sont reliés l'un à l'autre par une oralité émouvante. La petite dame annonce, laconique, les escargots de Bourgogne de sa carte du jour, Jean-Paul salive. Pour son dernier anniversaire, elle lui a concocté un saint-honoré géant, son gâteau préféré. Mais elle y a ajouté un coulis de framboise, initiative risquée. Cette fantaisie, il la commente sans chichis un quart d'heure durant. On comprend alors que l'indésirable sirop rouge aurait pu lui gâcher la soirée au même titre qu'un drapé ajusté par un assistant sur les hanches et non sur la taille. L'erreur n'est pas humaine.

L'ex-funambule du Palais de la découverte ne fonctionne plus à l'improvisation. Tout est sous contrôle. L'instinct créatif est intact. Mais il surveille en temps réel le processus de fabrication du premier essayage à l'arrivée du vêtement fait en Italie. Il a mûri au même rythme que son entreprise. Sa phase adulte correspond à l'explosion de sa griffe dans les années quatre-vingt. A l'Avenir du Prolétariat, entreprise à l'esprit cool et familial, cent vingt jeunes salariés lui donnent du fil à retordre : « Je m'absente une demi-heure. A mon retour, les choses n'ont pas bougé d'un millimètre. Aucun d'entre eux n'a eu au moins l'idée de prendre un cliché, d'élaborer quelque chose. Sans moi, ils n'agissent pas. » Infantilisés par le grand frère protecteur, les assistants sont figés dans une posture admirative et passive. Leurs conflits de gosses remontent jusqu'au bureau spartiate du patron. Il conseille, analyse, apaise. Ce côté « assistante sociale » le démoralise. « Avant, c'était Dominique Emschwiller qui gérait l'humain : elle me protégeait des mauvaises vibrations, du cirque relationnel. Moi, je ne sais pas faire. Je suis une éponge, j'absorbe tout. »

Confusion des rôles. On l'assimile à Peter Pan, le valeureux chef de bande des enfants perdus, mais il suffit de passer une heure en sa compagnie pour constater qu'il ne vit pas à Neverland. Jean-Paul habite une tout autre campagne anglaise, dessinée par Lewis Carroll. « En retard, en retard », il consulte sa montre, en lapin blanc guidant une Alice imaginaire. Et au pas de charge. Gaultier ne marche pas, il trotte, galope. Même à la fin d'un défilé il salue en courant, économisant ainsi de précieuses minutes. « La mode est un despote », lâche-t-il. Un tyran doté d'une alarme cinglante. Quand les spectateurs découvrent le printemps 2010, le lapin blanc, lui, a déjà grignoté l'année 2011. Toujours en avance, désorienté, décalé, pensant l'hiver en plein été, passant, locuteur accéléré, du futur antérieur au plus-que-parfait. Le créateur est structurellement en jet-lag. Cinq ou six nuits blanches tous les deux mois, à l'approche des collections. Blanches tendance spectrale et à l'eau minérale. Rien à voir avec les insomnies festives de ses trente ans arrosées à la caïpirinha. Elles débutaient, en before, au port d'Ibiza, se prolongeaient au Privilège local et s'achevaient en techno-rave sur la plage où la petite troupe pâteuse s'endormait en after sur le sable à 9 heures du matin.

Tanel, « muse maison » comme il aime à se définir, complice des nuits heureuses, se souvient : « On faisait la fête *non stop* en Corse, à Mykonos. On écumait les boîtes gays, hétéros aussi, pour faire plaisir à Aïtize qui aime les rocks. On dansait comme des fous. A Paris, on dînait dans un bistrot vers l'église Saint-Roch, on circulait dans les Halles, on s'arrêtait aux Bains, au Palace, au Sept. » On ? Le noyau dur, la garde rapprochée, le premier cercle. Les filles étaient jolies, lookées, culottées, majoritaires : les mannequins Christine Bergström, Frédérique, Farida, Aïtize, Laurence Treil, la « top bouche », et les trois *Barbie boys* : Tanel, Francis et Jean-Paul. Depuis 1996, la fête est un peu finie. Récemment, au bureau, sa cousine Evelyne a tenté d'improviser un rock. Elle et Jean-Paul se sont pris les pieds dans le tapis, ils avaient oublié leur chorégraphie d'ados.

A la Casa Olympe, le gourmet consulte l'ardoise où sont signalés à la craie : tartines de foie gras, cassolette d'œufs brouillés à la truffe, tarte au boudin. Le moment de la commande est capital. C'est une séquence jubilatoire mais sérieuse. On ne badine pas avec les papilles. Soudain le lapin blanc se métamorphose en Schrek, ogre débonnaire remettant perpétuellement son régime au lendemain. Avec Karl Lagerfeld, créature ascétique, délestée, liquide, aspirant à l'élégance invisible de l'azote, un dîner de gala se compose de protéines *fat free* et de Coca light, fade boisson à bulles à laquelle l'ex-obèse doit sa silhouette en L. Gaultier, au contraire, semble suivre les principes diététiques d'Atkins sans ses contraintes : il ne sépare pas les glucides, il les additionne sauvagement. Sa commande le résume, elle reflète sa façon boulimique d'accumuler les thèmes au sein d'une même collection.

Incapable de trancher entre le foie gras, les truffes et le boudin, il demande les trois entrées, 2 500 calories au bas mot. *My tailor is rich.* Pour accompagner sa viande, la patronne suggère des épinards puisqu'il aura des pommes de terre avec ses truffes. Jean-Paul proteste, mignard et d'un ton suppliant : « Oh non. Pour ne pas doubler les patates, vous me feriez bien une petite purée de pommes de terre ? » Elle fera. Tous deux accordent la même importance aux nourritures terrestres. Lorsque la cuisinière apporte le premier plat, son sidérant chouchou articule une remarque insolite. Où la classer ? A la rubrique gastronomie, arts plastiques ? « La dernière fois, soupire-t-il, les truffes n'avaient pas ce reflet taupe. Je les ai vues dans un camaïeu anthracite plus irisé. »

S'il n'avait pas été couturier, il eût fait un excellent chef : « D'aussi loin que je me souvienne, je voulais de toutes mes forces travailler dans la mode. Dans cette ambition, il n'y avait pas d'hypothèse d'échec, pas de place pour une option triste. » Très longtemps, cette forme d'idéalisation du désir gouverne son existence. Découvrant, ado, un vieux film de Fernandel où le comique se rêve en empereur, Jean-Paul décroche. Les flash-backs fantasmés l'agacent. L'invraisemblance, pour lui, c'est d'échouer dans le but qu'on s'est fixé, quel qu'il soit. « Je déteste qu'un destin ne se concrétise pas », dit-il, en enfant gâté.

On sert du champagne qu'il boit comme de la limonade. Prudent, il réserve la « tarte Tatin au pain perdu », spécialité pléonastique de la Casa Olympe. Il est sucre et sel, fromage et dessert, Obélix et Tex Avery. « C'est un bon vivant, avait prévenu son amie journaliste Catherine Lardeur. Une personnalité euphorisante. » Un bon vivant dont Olivier Saillard dit drôlement :

« Sa conversation est pimpante. Avec lui, trois heures passent sans qu'on s'en rende compte. Il a du réassort ! » Et un sacré coup de fourchette. Ayant nettoyé sa sauce aux truffes avec l'index gauche, qu'il lèche, espiègle, il tend à la serveuse une assiette nickel. Les bulles le stimulent. Des clichés cinématographiques magnifiant l'élégance féminine lui inspirent des fulgurances verbales. Capable de détailler à la chaînette près l'illustre décolleté du fourreau noir qui relança la carrière et les fesses parfaites de Mireille Darc dans *Le Grand Blond*, il analyse aussi l'influence décisive de Faye Dunaway, Bonnie fatale coiffée d'un béret chahuté, sur la regrettable vogue de la maxijupe.

Ses digressions ont le charme d'une machine à coudre emballée. La phrase part en piqué sur la Factory de Warhol, l'Espagne de Buñuel, l'Italie de Pasolini et opère un point de croix sur la beauté des femmes. Richard Avedon, photographe qu'il admire, portraitiste de dizaines d'icônes *sixties*, n'aimait vraiment que les visages creusés par l'expérience, sculptés par le temps qui passe, « ce qui lui valut, écrit Truman Capote, d'être souvent accusé de méchanceté ». La jeunesse des traits l'assommait. Jean-Paul aussi se méfie des rondeurs, du joufflu, du poupin : « Bardot m'ennuyait au début à cause de cela. Après, dans sa période Harley Davidson, je l'ai trouvée sublime ! » Au rebondi, il préfère l'anguleux, le saillant, le patiné, le vécu. A Marilyn Monroe, Ava Gardner. Les pommettes slaves, le débit-mitraillette de Katharine Hepburn l'enchantent. Il faut que la beauté se montre intelligente et énergique.

De Marlène Dietrich dont il n'apprécie ni la raucité ni la séduction lasse, il ne retient que le smoking. James

Dean ? Un peu trafiquant. Montgomery Clift ? Trop fragile. C'est Marlon Brando qui le guide, ado, sur les quais et les docks, macho ambivalent au regard troublant. Ayant dévoré sa biographie, il y relève un exploit sportif. A la question « Etes-vous bisexuel ? », le monstre sacré aurait répondu : « Non, tri... » Jean-Paul, fasciné par la marge, les bars à matelots, les voyous flamboyants, se sait voyeur et non acteur de ses fantasmes. Pierre Clémenti, balafré, vêtu en dandy-maquereau doté d'une cravache, invectivant Catherine Deneuve dans *Belle de jour*, lui inspire une distance respectueuse. La toxique attitude l'inhibe. S'il avait croisé le sulfureux phalanstère de Jean-Pierre Kalfon, Bulle Ogier et Clémenti, à Paris, dans les années soixante-dix, il aurait probablement pris la fuite : « Ces êtres me séduisent, mais j'ai peur, en face d'eux, de mes propres réactions. Je flaire l'autodestruction et m'en méfie. Je crois posséder un solide instinct de conservation. »

Confronté à la drogue, il surréagit, comme Woody Allen dans *Annie Hall*, éternuant sur le petit monticule de cocaïne que des nababs californiens, consternés, lui proposaient de partager : « Un soir, aux Philippines, invité à une fête par la jeunesse dorée, j'ai observé un joint passant de main en main. Quand mon tour est arrivé, ne sachant que faire, j'ai écrasé le dégoûtant mégot microscopique et humide. » Tête des branchés... *More*, chronique hermétique des paradis artificiels *seventies*, l'a considérablement ennuyé. En règle générale, les expériences *border line* l'indiffèrent. Epicurien tendance hygiéniste, il ne fume pas et boit très peu. Ni Saint Laurent, ni Galliano, ni freak ni junkie. Et pourtant... Plusieurs générations l'ont sacré roi de la hype, lui, ce bébé cadum shooté au baba au rhum. Il a représenté, représente encore, pour les homos chic, les bi politiquement trash et les hétéros underground le *nec plus ultra* de la rebelle attitude. Pirouette jubilatoire, savoureux paradoxe.

Gaultier a utilisé tous les signes de la transgression sociale : piercings et tatous, skinheads et after-punks, burnous et boubous. Ses fans l'ont fantasmé en leader subversif, en rock star destroy. Astucieusement, il laissait dire et faire. Cette légende l'arrangeait probablement. Lui qui redoute les snobs, la jet-set, les people, a bénéficié d'un passeport de *beautiful people* déjanté. Ce sont de faux papiers. Son anamnèse révèle une autre identité, en palimpseste. Moins mescaline, plus grenadine… « C'est un terrien, note Frédérique Lorca. Il a les deux pieds dans le sol et son côté lunaire s'exprime dans son travail. » Père adoptif de cent vingt enfants, le rêveur prend parfois la tangente, s'enfonce dans les rues de Paris, la tête dans les étoiles. Pour échapper à la chape de plomb des obligations, des décisions, de la paperasse. Avant, il ne signait pas le moindre papier. Francis et Dominique s'en chargeaient à sa place, délivrant le créatif des soucis de gestion. Ils l'ont si bien délesté que ce pur produit de la classe moyenne a acquis, avec le temps et la gloire, des réflexes de mogul assisté. Il ignore combien ont coûté les trois déménagements successifs de sa société, hésite sur le prix de ses propres loyers, entretient avec les signes extérieurs de richesse un rapport ambigu, flottant. Ayant acheté son hôtel particulier de l'avenue Frochot en 2004 et sa maison de Saint-Jean-de-Luz en 2006, il est devenu propriétaire sur le tard. Son niveau de vie s'est il amélioré ? A-t-il su profiter de l'argent gagné ? Cette colle le plonge dans un embarras profond.

Tout au plus se souvient-il d'un luxueux séjour en 1987, avec Francis. Ils avaient loué une merveille à l'île Moustique, escale suave : « Mais on avait choisi la saison basse, moins coûteuse. Du coup, on est revenus couverts de piqûres de moustiques ! » En 1996, il note une augmentation de son capital puisqu'il investit six millions de francs pour se lancer dans la haute couture. Ce qu'il a en poche aujourd'hui ? « Assez pour m'offrir une semaine de vacances au bout du monde. Enfin, je crois. Quand j'ai un doute, je téléphone à ma cousine, c'est elle qui me dit si c'est possible. » Evelyne tient les comptes. Cela vaut sans doute mieux car ces questions l'ennuient. Dans sa gibecière, gît une trousse bleu lavande d'écolier avec zip. Il en extrait des billets de cinquante euros qu'il aligne comme de la monnaie de Monopoly. Quand Jean-Paul flambe, on peut être sûr qu'il s'agit de déco nomade. Il y met du zèle et de l'indécision. C'est son mythe de Sisyphe. A Saint-Jean-de-Luz, la clôture de son vaste jardin figure une fresque Gaudi-Gaultier. On y distingue des taureaux et des perroquets naïfs. Mais les Frisou-Frisou, artistes peintres souples et adaptés, ont dû s'y reprendre à quatre fois pour achever ce mur. Le résultat ne lui paraissait jamais tout à fait satisfaisant.

« Acheter des toiles de maître, cela me semble impossible, avoue-t-il. Financièrement, je pourrais tout à fait mais mon éducation me l'interdit. » Alors, il se rabat sur des photographies d'art de Mondino, d'Erwin Blumenfeld ou de David Seidner, l'un des artistes favoris de Saint Laurent. Dans une salle des ventes, il a récemment déniché une série de croquis érotiques signés Jean Cocteau. Il affectionne les montres molles de Dalí, les hommes organiques de Bacon et les femmes décharnées de Buffet. Collectionneur dilettante, il se moque des must et des cotes du marché de l'art. En 1981, à Covent Garden, Francis et lui tombent sur un atelier-hangar désaffecté : « Il y avait là un extraordinaire siège de voiture en cuir rouge ficelé avec des tubes d'acier. J'ai acheté cette banquette une misère : 99 livres. » Le chanceux append bien plus tard que l'« Auto Rover 2000 », ready made bon marché, a été conçue par Ron Arad !

Chez lui, l'émotion artistique relève de l'affect. Claudia Huidobro présente un soir d'octobre dans une galerie du Marais son exposition « Juste au corps ». Une imposante Audi noire freine dans la rue pavée. Un anachorète en doudoune s'en extrait. Immédiatement reconnu, Jean-Paul diffuse une chaleur familière, suscite une curiosité bienveillante. On l'entoure sans l'étouffer. Quand Karl fait irruption chez Colette, son service d'ordre intervient pour contenir l'émeute. Rien de tel avec lui. C'est une star sans le registre agressif. Il salue les amateurs d'art inconnus, bavarde puis chausse ses lunettes pour un examen minutieux des œuvres exposées. Au mur, une série de petits fanions sublimant des odalisques nues de la Belle Epoque, sans visages et piquées de têtes d'épingle. Ce harem Man Ray est baptisé « Quoi de plus douce ? ». La faute grammaticale est volontaire. Tout l'enchante. Il passe discrètement dans le bureau, rédige un chèque et emporte avec lui onze

« douces ». Claudia rougit de plaisir. « C'est un tendre, un vrai tendre », balbutie-t-elle.

Il faut ajouter : naïf, spontané, pudique, secret, attentionné, timide, bien élevé... Gaultier, à défaut de son appétit, a su dompter son ego. Jean-Charles de Castelbajac le juge « peu narcissique ». Martin Margiela précise : « Il n'a pas peur de l'impossible ni du regard des autres. Il est original, optimiste, sensible, touchant. » Et Tanel résume : « La mode est un milieu prétentieux. Paulo a su garder les pieds sur terre et se préserver du syndrome de la grosse tête. » L'homme qui ne se prend pas au sérieux, vertu rarissime dans la tribu couture, oppose une résistance à toute épreuve à la flatterie. Au moindre compliment, il retourne la balle, la lifte, convertit la louange en question, digresse en as de la rhétorique. « Il est rusé », dit Aïtize, en ponctuant sa remarque d'un clin d'œil suggestif. Frédérique est frappée par « sa candeur, sa naïveté et son ouverture aux autres ». Vers 1 heure du matin, en quittant la Casa Olympe, alors que la patronne-nounou-mère-nourricière se tient dehors, par zéro degré, pour lui dire au revoir, Jean-Paul la gronde gentiment : « Allez, retournez à l'intérieur, maintenant. Vous n'êtes même pas couverte, vous allez attraper une angine de poitrine. »

« On n'est pas un, on est mille », écrit Pirandello. Mille Gaultier antagonistes se déploient donc, à la scène comme à la ville, au fil des souvenirs. Le potache surgit très tôt. Au milieu des années quatre-vingt, l'impertinent n'adhère pas aux mœurs du sérail. Un soir de Noël, il fait porter des dindes vivantes aux rédactrices de mode en vue. A *Vogue*, place du Palais-Bourbon, les paquets livrés par les grandes maisons contiennent habituellement de la soie, du cachemire ou des cuirs nobles. Tête des duchesses confrontées à cette basse-cour ! Au siège de *Marie Claire*, certaines prennent la mouche, se croyant traitées de pintades, métaphore misogyne. D'autres, charitables et pratiques, tentent de se débarrasser du volatile charnu en l'envoyant au Secours Catholique. A *Libération*, on perd tout humour et l'on rédige un billet cinglant : « Le vrai problème, analyse Jean-Paul, c'est que je n'avais jamais vu une dinde de ma vie. Or, cet animal est monstrueux : une sorte de petit dinosaure avec un goitre très laid, une démarche effrayante, émettant des cris inquiétants. »

Le potache distrait cultive aussi le sens de l'absurde. S'étant enfin résolu à prendre des leçons de conduite, Jean-Paul s'avise, le matin de l'examen, qu'un avion l'attend à Roissy. Il explique ce contretemps au moniteur armé d'un bloc et d'un stylo. L'examinateur attendri accepte de transformer l'épreuve, perdue d'avance, en course-poursuite. Le candidat conduit donc, comme il peut, le véhicule blanc jusqu'au terminal de l'aéroport. Ce jour-là, il n'a pas décroché son permis, mais il a décollé à temps !

Récemment, il loue un bateau et entraîne dans sa croisière grecque Anna et Aïtze. Soudain, l'équipage réveille en fanfare les passagers. Le moteur a pris feu, les canots de sauvetage sont amarrés, prière de n'emporter que son passeport, rien d'autre. Panique à bord. A cet instant, Jean-Paul remonte de sa couchette avec deux sacs de voyage gonflés à bloc et demande au capitaine de l'aider à les soulever. A l'intérieur : une cinquantaine de *Harper's Bazaar*, de *Vogue* et de *Dazed and confused*, son matériel ordinaire de travail. « Son passeport, il ne l'avait même pas pris, dit Anna en riant. Voilà Jean-Paul et sa conception du naufrage ! » Le randonneur gastronomique s'exprime aussi fréquemment. « Par gourmandise, il est capable de faire des kilomètres et de fausser compagnie à tout le monde », assure Aïtize, qui lui cuisine un soufflé au moindre coup de blues. Escale à Londres. Tous deux déjeunent au Hard Rock Cafe, mais le souvenir d'un inoubliable sandwich au bacon dégusté il y a quatre ans le tient au corps. Il quitte soudainement le restaurant, entraîne Aïtize. Direction : Portobello où il finit par retrouver le delicatessen en question. Aux caprices succèdent les cadeaux. L'enfant gâté aime à se faire aimer. « La générosité de Jean-Paul est sans calcul, témoigne Frédérique. Simple, impulsive, directe. » La petite robe-cravate en jersey imprimé, le sac trench, l'étole anis : à toutes ses dames de cœur, il offre ses créations. Rapporte de ses brèves vacances des friandises basques et des savons de Provence à l'équipe de la rue Saint-Martin. Au feeling, en pleine virée shopping : un foulard Saint Laurent, un sac Hermès, des boucles d'oreilles pour Aïtize. « Les petits cadeaux entretiennent l'amitié, les gros la compromettent », écrit Paul Morand dans *L'Allure de Chanel.*

Evelyne, cinquante-sept ans, contemple la splendide bague-tête de mort en diamant dont son cousin vient de la gratifier : « Avant que je ne vienne travailler auprès de lui en 1996, je vivais mariée et en banlieue, je gagnais ma vie dans une banque. J'étais un peu vieux jeu. Lui me trouvait gnangnan, raconte-t-elle avec humour. Alors, il m'a complètement relookée, de la tête aux pieds. » Grande, blonde, moulée dans sa redingote noire Gaultier, Evelyne est la mémorialiste attitrée du roman familial. Pour les soixante-quinze ans de son oncle, Jean-Paul, neveu aimant, organise un séjour surprise en Sicile. Y convie René, Louison et leur fille Evelyne. Les voici à Taormina, après un déjeuner arrosé. Soudain l'hyperactif décide, par quarante degrés, d'escalader une colline abrupte. Evelyne le suit comme elle peut, serrée dans un tailleur blanc, juchée sur ses stilettos. En baby-sitter prévoyante, elle a toujours sur elle un bloc et trois crayons de couleur, pour distraire l'enfant remuant. Ils grimpent sur un sentier de mulet. A perte de vue : le bleu indigo, ciel et mer, la noirceur menaçante de l'Etna et les rocailles blanches : un chromo figé dans une splendeur antique. « Tout à coup, raconte Evelyne, j'entends : "Stop, ne bouge plus." Et le voilà à califourchon, prenant appui sur mon dos et dessinant ce qu'il voyait un quart d'heure durant. » D'autres fois, la même scène se reproduit, moins pasolinienne, plus parigote. Le patron d'un bistrot conservait les nappes en papier que Jean-Paul barbouillait nerveusement de divas en forme de sablier. Un jour, l'homme a demandé à l'auteur de les signer. La mode est un art spéculatif dont les restaurateurs rusés établissent la cote.

Enfant unique, prodige et prodigue, machine de guerre au travail, grand convecteur captant le monde tel qu'il est et le transfigurant en 3D sur ses carnets, dadaïste autodidacte, Gaultier possède, comme le dit Karl Lagerfeld, « une vision et une vista ». Fils spirituel de personne, ce tsunami a dévasté le jardin à la française, déconstruisant d'abord le Bescherelle du prêt-à-porter puis le Larousse couture. Joker sans cravate au sein d'un Jockey Club, qui ne compte plus que onze membres, il se tient en retrait, l'œil qui frise de malice, l'air de ne pas y toucher, merveilleusement libre, détaché, se méfiant du marketing, du merchandising et des trusts, toutes choses peu poétiques. Un Huckleberry Finn qui habillerait les Fauntleroy, mais du bout des doigts. En vingt ans, seuls deux Français ont su s'imposer sur le marché américain : Christian Lacroix et Jean-Paul Gaultier. Cet exploit ne l'émeut pas. L'avant-gardiste devenu classique par inadvertance continue sa route en zigzag. D'un côté, il libère les corps et les mœurs, s'affranchit des carcans, de l'autre, il resserre les lacets, renoue les corsets de grand-maman. *Double bind* et chassé-croisé.

Le plus difficile ? Ne pas céder à sa vieille maîtresse, la solitude, cette collante sirène dont le chant apaise le cœur des enfants uniques. Un coryphée de muses sensées, Evelyne, Frédérique, Aïtize, Anna, l'empêche de dériver. Un jeune homme des Cyclades s'y emploie aussi, bel éphèbe grec et nouveau fiancé, qui navigue dans sa vie. Si Jean-Charles de Castelbajac devait portraiturer ce doux rêveur, il tracerait, au pastel gras, un sourire dans le ciel. L'image lui va si bien : « Il y a chez lui la qualité des gens qui donnent et qui n'ont plus rien à prouver. En général ce sont eux qui font l'époque. »

REMERCIEMENTS

Merci à...

Jean-Paul Gaultier pour son humour et sa disponibilité, à Evelyne Gaultier pour son affectueuse présence, à Jean-Charles de Castelbajac, Pierre Cardin, Pierre-Alexis Dumas, Martin Margiela, Jean-Baptiste Mondino pour leurs lumières, à Anne-Florence Schmitt pour son énergie et son soutien, à Nicole Crassat, Tina Kieffer, Catherine Lardeur, Gilles Lipovetsky, Elisabeth Roudinesco, Olivier Saillard, Irène Silvagni pour leurs points de vue, à Anna Pavlovski, Christophe Beaufays, Christine Bergstrom, Aïtize Hanson, Claudia Huidobro, Faïza Khaiter, Farida Khelfa, Mylène Lajoix, Frédérique Lorca, Jelka Musik, Tanel, Jean Teulé pour leurs témoignages, à Anne-Laure Pandolfi, Sophie Seibel-Traonouïl pour leurs conseils, à Isabelle Adjani, Juliette Binoche, Josiane Balasko, Laetitia Casta, Clotilde Courau, Arielle Dombasle, Romain Duris, Marina Hands, Cédric Klapisch, Anna Mouglalis, Helena Noguerra, Kristin Scott Thomas, Diane von Furstenberg pour leur enthousiasme, à Camille Lestienne, Caroline Pinon pour leurs archives, et à Jean-Paul Enthoven pour tout.

REMERCIEMENTS

TABLE

Ce volume a été composé
par IGS-CP à L'Isle-d'Espagnac

Cet ouvrage a été imprimé en France par

à Saint-Amand-Montrond (Cher)
en décembre 2009
pour le compte des Éditions Grasset,
61, rue des Saints-Pères, 75006 Paris.

N° d'édition : 16008. — N° d'impression : 093537/4.
Dépôt légal : décembre 2009.